KINKAJOU
GALLIMARD

Les auteurs :
Christine de Coninck et
Michèle Davidovici
remercient Monsieur le Directeur de la Protection civile d'avoir bien voulu mettre à leur disposition tous
les documents nécessaires
à la réalisation de ce livre.

Elles remercient également
Monsieur Nominé qui les a
aidées de ses conseils.

Illustrateur :
Devis Grébu.
Né en 1933 en Roumanie.
Il a fait ses études aux
Beaux-Arts de Bucarest et
a représenté son pays aux
manifestations graphiques
internationales. Il vit au-
jourd'hui en Israël et a
obtenu en 1969 et 1973 le
prix San Gabrièle pour
la meilleure série de timbres
de l'année.

Collection dirigée par
Pierre Marchand et Jean-Olivier Héron.
© Editions Gallimard, 1975, pour le texte et les illustrations.

Les gestes qui sauvent

UN ACCIDENT !?!
JE NE M'AFFOLE PAS
PEUT-ÊTRE PUIS-JE IN-
TERVENIR... PEUT-ÊTRE
LA VIE DES ACCIDEN-
TÉS EST-ELLE ENTRE
MES MAINS...

AU SECOURS !!!... VOILÀ
MONSIEUR LE MARQUIS
DE CARABAS QUI SE
NOIE !!!...

Simples faits-divers?

Les accidents quotidiens laissent en général l'opinion étonnamment indifférente. Simples faits-divers? Peut-être! Mais sait-on qu'ils coûtent à la France, chaque année 43 000 morts et plus d'un million et demi de blessés?

Or, beaucoup de ces drames pourraient être évités avec un peu d'attention, un peu de bon sens, et la connaissance de quelques notions élémentaires. Et, lorsque malgré tout, l'accident se produit, quelques gestes très simples suffisent souvent à en limiter les effets.

C'est le grand mérite des « Gestes qui sauvent » que de nous rappeler des conseils et des règles que nous croyons connaître mais qui sont trop souvent oubliés. Ce livre nous permettra d'éviter non seulement des drames, mais aussi les petits maux qui s'opposent au plaisir de vivre. Présentée sous une forme plaisante et accessible à tous, c'est une véritable éducation de la sécurité qu'il nous offre.

La Protection Civile ne peut que se réjouir de cette initiative qui vient soutenir les efforts qu'elle déploie pour permettre à chacun d'éviter les risques multiples qui sont la rançon de la vie moderne.

Le Directeur
du Service National
de la Protection Civile

J. P. FOULQUIE

Eloge
de la prudence

De tous les êtres qui peuplent la terre, l'homme est le plus fragile, le plus nu, le plus vulnérable. Il n'a, pour résister aux chocs, ni la cuirasse des insectes, ni même le cuir des autres mammifères; rien qu'une peau assez mince. Aucune fourrure ne le protège du froid, son squelette, toutes proportions gardées, n'est ni plus ni moins résistant que celui d'une souris. C'est pourtant lui et lui seul qu'on trouve sous tous les climats, sous toutes les latitudes, du désert brûlant aux déserts glacés, du marécage des deltas aux sommets du monde. Sa survie et sa force, ses facultés d'adaptation tiennent en un mot : la Prudence. C'est elle, plus que le courage, qui lui sert de bouclier entre les agressions de la nature. Le grand empire des dinosaures, tyrannosaures et autres diplodocus s'est écroulé, le tigre à dent de sabre a disparu. Seuls triomphent, au bout du compte, les plus fragiles insectes parce qu'ils sont légions et l'homme prévoyant.

Ceci n'est pas l'éloge de la lâcheté ou celui de la peur; au contraire, la victoire de l'alpiniste est aussi celle de ses crampons et de sa corde. La victoire du marin est aussi celle de son bateau. Car la seule victoire est celle de la Vie.

DOCTEUR
JACQUES GRINSZTAIN

Au feu !

Vous utilisez le feu pour vous chauffer, vous éclairer, faire la cuisine ; c'est un élément essentiel de la vie quotidienne. Mais c'est un ami qu'il faut connaître et manier avec précaution. Une étincelle vous échappe ; elle risque de provoquer un incendie.

Le feu prend quand trois éléments sont réunis : un combustible, de l'air, de

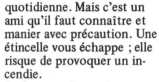

MOI, JE COUPE LE COMPTEUR

MOI, JE FERME LES PORTES ET LES FENÊTRES

...ET J'ESSAYE D'ISOLER L'OBJET EN FLAMMES!...

...ET SURTOUT N'ESSAYE PAS DE SORTIR L'OBJET!...

AU BOUT DE 30 SECONDES

APPEL POMPIERS N°..........

la chaleur. Supprimez l'un des trois, vous empêcherez l'incendie de naître ou vous freinerez sa progression.

Les premières flammes. Il n'y a pas de fumée sans feu. A la moindre fumée anormale, à la moindre odeur de brûlé, recherchez la cause. Le feu découvert, ne vous affolez pas, passez à l'action. Si, au bout de 30 secondes, le feu n'est pas complètement éteint, appelez les pompiers. En attendant leur arrivée, continuez la lutte. Fermez les portes et les fenêtres, car les courants d'air attisent les flammes. Coupez le courant électrique et le gaz aux compteurs. Si c'est un petit objet qui brûle, isolez-le : il se consumera tout seul. N'essayez pas de le sortir de la pièce, c'est le meilleur moyen de vous brûler.
Si le feu monte le long d'un mur, éteignez d'abord le bas puis remontez.
Pour ne pas être encerclé par le feu, n'avancez pas sur un foyer mal éteint et tenez-vous entre le feu et

la porte, vous pourrez vous échapper si besoin est. Et n'oubliez pas que vous n'êtes pas un héros de film : n'attendez pas de suffoquer pour quitter la pièce.
Tous les feux ne se combattent pas de la même manière. L'eau éteint les feux secs (bois, tissu, papier) ; le manque d'air vient à bout des feux gras (huile, essence, liquides inflammables, bombes aérosols).

Feux secs. Attaquez la base des flammes en lançant de l'eau dessus le plus fort possible. Recouvrez un objet en feu d'une couverture ou d'un linge mouillé. Jetez également de l'eau autour du foyer pour l'empêcher de s'étendre.

Feux gras. Pas d'eau ! si le feu prend dans un récipient, couvrez-le pour étouffer les

7

FEUX SECS : FORT JET D'EAU À LA BASE ET AUTOUR DU FOYER !...

FEUX GRAS : EAU INTERDITE !!!... ÉTOUFFER LE FEU

flammes. Si le liquide s'est répandu par terre, écartez tous les objets voisins, sur un carrelage ou un plancher, le feu s'éteindra quand le liquide sera consumé. Sur un tapis, étouffez le feu avec un oreiller ou un matelas.

Feux de gaz et court-circuit. Coupez les compteurs, fermez les robinets d'arrivée de gaz en vous protégeant le bras avec un chiffon mouillé.

Attaqués par le feu. Il faut éviter avant tout de respirer des flammes. Le feu prend à vos cheveux : vite, un linge autour de la tête, vous pourrez ensuite courir au robinet.

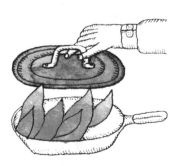

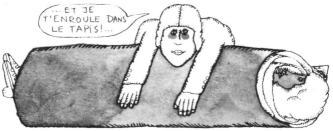

Le feu prend à vos vête-
ments : ne courez pas, car
l'air avive les flammes. Rete-
nez votre respiration. Je-
tez-vous à terre, roulez plusieurs fois, et si possible,
enroulez-vous dans une pièce
de tissu, tapis par exemple.
Quelqu'un prend feu devant
vous : jetez-le à terre et
enroulez-le dans ce que
vous avez sous la main, éventuellement, allongez-vous
sur lui. Protégez la tête de
la victime pour qu'elle ne
se brûle pas les poumons.

Cerné par le feu. Pris dans
un immeuble en feu, vous
n'avez qu'une chose à faire : appeler les pompiers.
Quand l'incendie se trouve
à l'extérieur de la pièce,
dans l'escalier par exemple,
ne sortez surtout pas. La
porte vous isolera pen-
dant une demi-heure, et
davantage si vous l'arrosez
d'eau. N'ouvrez jamais une
porte chaude, car le feu

est derrière.

Allez à la fenêtre et signalez votre présence. Attendez calmement l'arrivée des pompiers. (Vous ne sauterez par la fenêtre que si vous ne pouvez faire autrement : du premier étage, pendez-vous à bout de bras avant de lâcher prise ; plus haut faites une corde avec des draps ou des couvertures pour vous rapprocher du sol.) A l'arrivée des sauveteurs, restez calme et suivez leurs instructions.

Prenez bien garde à l'asphyxie : couvrez-vous la bouche et le nez avec un linge humide, respirez régulièrement car l'essoufflement favorise la panique et l'asphyxie. Pour quitter une pièce enfumée ou circuler dans un bâtiment en flammes, suivez le mur et baissez-vous, car la fumée envahit d'abord les parties hautes.

Les extincteurs. Ne dirigez jamais le jet d'un extincteur sur une personne. N'utilisez un extincteur que si vous connaissez son type et son mode d'emploi. Attaquez toujours le feu à la base des flammes.

Neuf incendies sur dix sont dus à l'imprudence, à la négligence, à l'ignorance. Ne soyez pas un incendiaire qui s'ignore.

La chasse aux étincelles. La fée électricité se transforme en sorcière si vous la négligez.

Trois causes de court-circuit : les fils électriques dénudés, les prises de courant surchargées, les fusibles trop résistants, ou d'un autre métal que le plomb. Le court-circuit peut se produire à tout instant, aussi ne quittez pas la maison en laissant les appareils électriques en marche. La chaleur aussi est facteur d'incendie : n'abandonnez pas un fer à repasser branché, ne voilez pas les

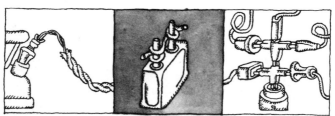

ampoules avec du papier ou de l'étoffe.

Ne brûlez pas votre maison pour vous chauffer. Un radiateur trop près d'un rideau, ou utilisé comme séchoir à linge ne demande qu'à brûler ce que vous lui offrez. Ne le prenez pas non plus pour une bibliothèque ou une étagère de rangement. Quant au feu dans la cheminée, il semble bien à l'abri dans sa niche, mais une escarbille jaillit de temps en temps : ne le laissez pas sans surveillance et protégez le tapis avec un pare-feu. Quand vous nettoyez la cheminée, ne choisissez pas justement un carton ou une cuvette en plastique pour transporter les cendres chaudes.

Petite flamme deviendra grande... si vous n'y prenez pas garde. Un mégot mal éteint mettra le feu à la poubelle. Une boîte d'allumettes près d'une flamme s'embrasera brusquement. Et surtout, ne laissez pas traîner des allumettes s'il y a de jeunes enfants dans la maison.
Quant aux bougies, fixez-les bien sur leur support, ne les oubliez pas et ne les placez pas près d'un voilage. Attention à vos cheveux ! Ne vous penchez pas sur une flamme.
Produits inflammables. Essence, pétrole, alcool, éther sont des produits volatils. Leurs vapeurs risquent de s'enflammer beaucoup plus facilement que vous ne le pensez. Ne les manipulez jamais près d'une flamme, ni dans la cuisine ; méfiez-vous du chauffe-eau et...

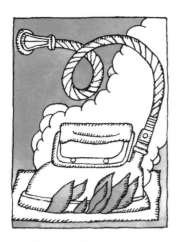

des fumeurs. Pensez toujours à ouvrir la fenêtre. Il en va de même pour le vernis à ongles et son dissolvant.

Le comble de l'imprudence : allumer ou activer un feu en l'arrosant d'essence ou d'alcool à brûler : c'est la cause des accidents les plus graves (voir Brûlures, p. 80). Les bombes aérosols portent bien leur nom : ne laissez jamais à proximité d'une source de chaleur désinfectants, insecticides, laques, cires en atomiseur. Ils exploseraient.

En cas de fuite de gaz (gaz de ville, propane ou butane) le danger d'explosion est aussi grand que le risque d'asphyxie : ouvrez la fenêtre, coupez le compteur électrique et ne craquez d'allumette sous aucun prétexte.

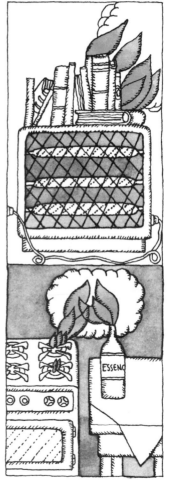

Dans la forêt, un feu se déclare devant vous. Que faire ? Gardez votre sang-froid et essayez d'abord de l'éteindre : en le piétinant, en l'étouffant avec une couver-

ture, etc., en le battant avec une pelle ou des branchages ; en l'arrosant avec de l'eau ou en jetant de la terre dessus. Mais, si , au bout de cinq minutes, il n'est pas complètement éteint, prévenez immédiatement les pompiers, la gendarmerie, le maire ou n'importe quel habitant du lieu qui ira chercher du secours. Les secours spécialisés feront beaucoup mieux que vous, car ils ont des moyens de lutte appropriés.

Dangers d'incendie.
C'est par les étincelles qu'en forêt le feu se propage d'un arbre à l'autre. Mais le feu prend d'abord dans le sous-bois. Il couve parfois des heures avant d'éclater. Ne soyez pas celui qui provo-

que la première étincelle.
Respectez les règles de la
forêt, et d'abord les panneaux interdisant les feux.
Lorsque vous faites un feu
de camp ou si vous utilisez
un camping-gaz, choisissez
un endroit à plus de deux
cents mètres des planta-
tions forestières, débrous-
saillez autour avant d'allumer. Ne laissez jamais le
foyer sans surveillance.
Ayez toujours un récipient
d'eau à portée de main.
N'allumez jamais de feu
par grand vent, il vous
échapperait.
Avant de partir, éteignez-
le complètement. Débar-
rassez aussi le sol des pa-
piers, chiffons gras et dé-
bris de verre qui peuvent
faire loupe.

L'orage gronde. Un éclair et la foudre s'abat. L'ignorant qui s'est réfugié sous un arbre isolé risque fort de mourir électrocuté. S'il vit, essayez de le ranimer en pratiquant le bouche-à-bouche (voir Asphyxie p. 51) et, si possible, prévenez la gendarmerie ou les pompiers. Mais la foudre ne tombe que sur ceux

La nature et ses dangers

qui l'attirent. Ne jouez pas au paratonnerre.

Abris dangereux : arbre isolé, pont métallique, entrée de grotte, construction élevée, parapluie (pointe métallique).
Jetez couteau, piolet, parapluie. Position de sécurité : accroupi sur la pointe des pieds, la tête entre les genoux. Une voiture qui roule, antenne baissée, est parfaitement isolée de la terre : vous y êtes en sécurité.

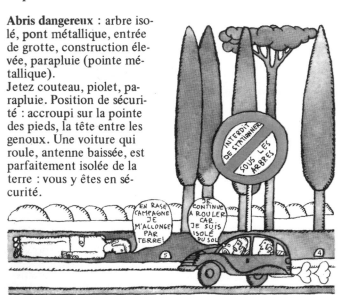

Si vous êtes resté à la maison, fermez les fenêtres, coupez le compteur électrique. Ne restez pas près des masses métalliques (réfrigérateur) et tenez-vous au milieu de la pièce.

Danger, avalanche ! Même prisonnier, ne désespérez pas : les secours ne tarderont pas. L'avalanche est souvent provoquée par un imprudent. Skieurs, attention aux plaques de neige ; en glissant, elles peuvent déclencher la catastrophe. Ne quittez pas les pistes, suivez les balisages, ne vous aventurez pas dans les zones dangereuses, signalées par le drapeau à damiers jaunes et noirs.

Surpris par l'avalanche.
Gestes à faire : laisser tomber skis, bâtons, piolet, sac à dos.
— Fuir vers le côté, tête dressée.
— Cerné : repliez un bras devant le nez, fermez la bouche. Essayez de vous redresser.

Perdu en montagne. Vous vous êtes égaré, la nuit tombe. Que faire ? Mettez-vous à l'abri du vent, allumez un feu. Mais gare à l'incendie. Ne vous laissez pas gagner par le froid : remuez, faites des concours de grimaces pour que le sang de votre visage circule bien. Desserrez

GRAND CONCOURS
DE GRIMACES

III.e PRIX   I.er PRIX   II.e PRIX

DES GRIMACES À VOUS COUPER L'APPÉTIT !... MAIS MANGEZ QUAND MÊME !... SI VOUS AVEZ DES PROVISIONS...

Important : avant de partir, prenez des vêtements chauds et amples, des provisions, sans oublier le sucre.

Pierre qui roule... En montagne toujours, il est peut-être drôle de lancer des cailloux, mais ils risquent de provoquer un éboulement.

Trahi par le sable. Méfiez-vous des sables mouvants et des terrains marécageux. Généralement des panneaux les signalent.
Si quelqu'un s'enlise sous vos yeux, ne courez surtout pas vers lui, dites-lui de rester à plat sans bouger, et tendez-lui une perche ou lancez-lui une corde.

vos chaussures. Mangez souvent si vous avez des provisions. Bien sûr, il aurait mieux valu ne pas vous aventurer trop loin, surveiller l'heure, et suivre les chemins fléchés.

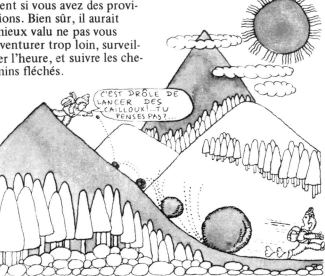

C'EST DRÔLE DE LANCER DES CAILLOUX !... TU PENSES PAS ?...

19

Intoxications

LES CHAMPIGNONS VENENEUX

Empoisonné. Les symptômes peuvent apparaître, selon l'espèce consommée, quatre heures ou plus de dix heures après le repas.
La forme d'intoxication qui se déclare le plus tard est la plus grave et s'accompagne de vertiges et de frissons. Ne perdez pas de temps, en attendant le médecin. Essayez d'identifier les champignons ramassés.
Si l'intoxication apparaît peu après le repas, faites vomir la victime (eau salée ou doigt dans la gorge). Calmez le malade en le rassurant. S'il n'y a ni médecin, ni hôpital à proximité, vous devez administrer un contre-poison général : 4 blancs d'œufs battus dans un litre d'eau, et téléphoner à l'un des Centres antipoison (voir adresses p.95).

Souvenez-vous que, d'une manière générale, les champignons vénéneux ont un chapeau à lamelles et que tous les champignons mortels sont dotés d'une volve, sorte de sac blanchâtre d'où émerge leur pied.
Sont mortels, les champignons dont le poison se manifeste tardivement.
L'amanite phalloïde : elle pousse de juillet à novembre, dans les bois — en terrain siliceux ou argileux.
L'amanite printanière : fait son apparition en mai, et pousse jusqu'en automne, en terrain calcaire.
L'amanite vireuse se rencontre d'août à octobre. Sont également dangereux :
Le cortinaire des montagnes que l'on rencontre de préférence sous les chênes et les châtaigniers, en terrain siliceux.
La lépiote brune, qui aime la chaleur du Midi.
L'entolome livide : il a une

odeur caractéristique de farine fraîche quand on le cueille.

La gyromitre ou fausse morille, champignon comestible, à condition de le rincer après cuisson : en bouillant, il élimine dans l'eau une toxine mortelle.

Dangereux aussi, ceux à incubation courte.

L'inocybe de Patouillard pousse au printemps et au début de l'été dans les terrains calcaires.

Le clytocybe blanc d'ivoire se trouve du milieu de l'été à la fin de l'automne en lisière des bois.

L'amanite tue-mouches se développe du milieu de l'été à la fin de l'automne sous les conifères et les bouleaux. L'amanite panthère affectionne particulièrement les bois de conifères tout l'été et l'automne.

Du bon usage des champignons.

Si vous cueillez des espèces parfaitement connues et, au besoin, vérifiées par le pharmacien, vous ne risquez rien à condition :

— de ne manger que des champignons jeunes et d'éliminer ceux qui sont devenus gluants en vieillissant ;

— de ne pas manger de champignons crus ; certaines espèces ne sont comes-

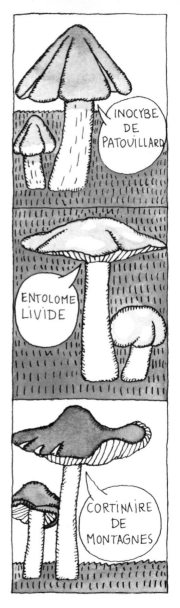

INOCYBE DE PATOUILLARD

ENTOLOME LIVIDE

CORTINAIRE DE MONTAGNES

tibles qu'une fois cuites.
Si vous avez des champignons que vous savez comestibles mais dont vous ignorez la façon de les préparer, prenez la précaution de les faire bouillir, de jeter l'eau de cuisson et de les rincer.

LES PLANTES TOXIQUES

Les philtres magiques des sorciers n'étaient rien d'autre que des tisanes à base de plantes bénéfiques ou dangereuses ; ces plantes poussent encore dans nos campagnes. Ceux qui ne savent pas les reconnaître se laissent séduire par la beauté de certaines et se rendent malades en les mangeant ou en les suçant.
En cas d'intoxication, seul le médecin peut agir. Si l'imprudent s'étouffe, appelez immédiatement les pompiers.
Méfiez-vous des inconnus et des faux amis. Le meilleur moyen de ne pas vous empoisonner est d'apprendre à connaître les plantes.
Quand vous avez touché une plante inconnue, ne vous sucez pas les doigts. Ne mangez jamais de baies sauvages, aussi appétissantes soient-elles.
Voici les plantes qu'il faut éviter à tout prix.
L'aconit. Ne confondez pas sa racine avec un navet.

La belladone. Ses fruits noirs sont dangereux.
Le chardon. A ne pas prendre pour un artichaut sauvage.
La ciguë. Elle ressemble étrangement au persil et au cerfeuil mais n'a pas la même odeur.
La colchique. Fleur violette de l'automne. Ne mangez pas son oignon.
Le cytise. Les fleurs jaunes de cet arbuste ressemblent à celles de l'acacia, mais ne vous amusez pas à en faire des beignets.
La digitale. Ses clochettes pourpres sont extrêmement toxiques.
L'if. Ses fruits de couleur rouge sont de faux amis.
Le lupin. Ses graines ne sont pas des pois comestibles.
Le marron d'Inde. Contrairement à la châtaigne, il est toxique.
Le narcisse. N'arrachez pas son bulbe quand vous n'avez plus d'ail pour la cuisine !
En règle générale, ne consommez aucune plante sauvage ressemblant à un légume ou un fruit.

Les amis d'un jour
L'ail et les bananes trop vieux vous donneront mal au ventre.
Méfiez-vous des aubergines et des tomates quand elles ne sont pas mûres.

INTOXICATIONS ALIMENTAIRES

Une indigestion spectaculaire qui s'accompagne parfois de fièvre, de vertiges ou de troubles nerveux est sans doute une intoxication alimentaire. Le malade a sûrement absorbé des aliments avariés. Surtout, n'essayez pas de le soigner comme s'il avait une simple indigestion. Appelez le médecin et essayez de déterminer l'aliment en cause.

Parfois, les malaises apparaissent plusieurs jours après l'absorption. Ils n'en sont que plus graves.

A consommer avant le...
Beaucoup d'aliments vendus sous emballage portent cette mention. Les plus vite abîmés sont : la viande (hachée, elle doit être consommée dans la journée), le poisson, le lait, les pâtisseries à

la crème. Ne croyez pas que le réfrigérateur protège éternellement les aliments du pourrissement. Les boîtes de conserve non plus : jetez sans regret toute boîte au couvercle rouillé, bombé ou laissant échapper un gaz à l'ouverture. Une fois enta-

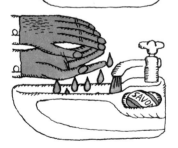

mé, un produit ne doit pas rester dans sa boîte métallique, même au frais.

Les aliments contaminés.
Aucun signe ne trahit qu'un produit a été au contact de microbes ou de poison. Quand

ET ALORS... TU PARS DÉJÀ AUX SPORTS D'HIVER?

OUI!... COMME D'HABITUDE... DANS CE FRIGIDAIRE IL Y A TOUJOURS DE LA NEIGE

on s'en aperçoit, on est déjà malade. Ce n'est pas très grave, mais mieux vaut appeler le médecin. En l'attendant, on peut avoir recours à un médicament à base de charbon ou à de l'Elixir parégorique. Un peu d'attention vous évitera tous ces ennuis :

— Ne choisissez pas le port pour ramasser des coquillages : ils seront à coup sûr aussi souillés que l'eau.

— Ne grapillez pas dans les vignes : le raisin a été traité à l'insecticide ou au sulfate de cuivre.

— Lavez les légumes et les fruits que vous consommez crus, et lavez-vous les mains avant de faire la cuisine ou de manger.

— Nettoyez aussi les casseroles dont le fond a brûlé.

PRODUITS TOXIQUES

En présence de quelqu'un qui vient d'absorber un poison (engrais, produit ménager, insecticide ou médicament) ne vous affolez pas. Prévenez le médecin et si vous n'arrivez pas à le joindre, téléphonez au centre antipoison. Ne pas faire vomir. Au contraire, si c'est un acide, faites avaler de l'eau additionnée de quatre blancs d'œufs battus.
Si c'est une base, donnez du jus de citron, d'orange ou de l'eau vinaigrée.

Produits pesticides.
Les poisons qui détruisent les nuisibles (insectes, rongeurs, parasites) sont dangereux pour vous. Les engrais également. S'il vous arrive de toucher ces produits, lavez-vous les mains.

NOTEZ ICI LE N° DU CENTRE ANTI-POISON, LE PLUS PROCHE.

Produits ménagers. Ne les laissez pas traîner et étiquetez soigneusement eau de Javel, décapant, déboucheur, antirouille et tout produit d'entretien : ils contiennent des substances qui brûlent ou empoisonnent. Ne jouez pas avec des bombes aérosols : leur jet est toxique.

Médicaments.
Tous les produits pharmaceutiques et les produits de beauté sont dangereux pour les plus petits : rangez-les dans un placard si possible fermé à clef. Attention à l'aspirine pour enfants, qui, en quantité, peut provoquer de graves intoxications.

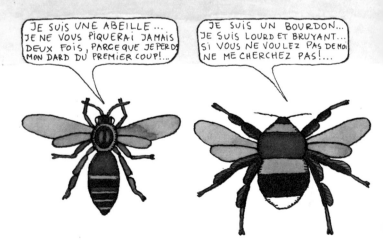

JE SUIS UNE ABEILLE... JE NE VOUS PIQUERAI JAMAIS DEUX FOIS, PARCE QUE JE PERDS MON DARD DU PREMIER COUP!...

JE SUIS UN BOURDON... JE SUIS LOURD ET BRUYANT... SI VOUS NE VOULEZ PAS DE MOI NE ME CHERCHEZ PAS!...

Piqûres et Morsures

LES INSECTES

Certains piquent ou mordent pour se nourrir ; d'autres pour se défendre, usent de leur venin. Selon le nombre de piqûres, l'endroit atteint, votre sensibilité au venin, vous réagirez plus ou moins violemment. Une piqûre dans la bouche entraîne parfois

l'asphyxie : pour l'éviter, faites respirer en atmosphère très humide, par exemple en mettant la victime dans la salle de bains après avoir fait couler de l'eau très chaude.
Dans tous les cas, désinfectez la zone piquée

Qui s'y frotte s'y pique.
Si vous connaissez les insectes venimeux, vous ne vous amuserez pas à leur faire peur.
S'ils vous piquent par surprise, n'oubliez pas que chaque venin a son remède propre.

Abeilles, bourdons, guêpes et frelons sont munis tous trois d'un dard (voir dessin p. 29). L'abeille seule le perd du premier coup : elle ne vous piquera jamais deux fois. Le frelon, guêpe géante, est le plus redoutable. Le bourdon, lourd et bruyant, ne vous attaquera que si vous l'avez vraiment cherché. Attention à son venin extrêmement dangereux.
En cas de piqûre :
— enlevez le dard s'il est resté dans la peau ;
— désinfectez et appliquez une pommade calmante ; (voir Plaies p. 71) ;
— si la réaction est violente ou la piqûre mal placée, appelez d'urgence un médecin.

Les araignées mordent leur proie à l'aide de petits crochets qui injectent du venin. Elles laissent donc deux points rouges sur la peau. Elles sont peu dangereuses sauf la Malmignatte, ou veuve noire, du Midi.
Mordu par une araignée :
— désinfectez la plaie ;
— traitez le choc éventuel et appelez le médecin si vous vous sentez mal.

Les scorpions vivent dans les régions chaudes. Certains sont extrêmement dangereux (voir dessin p. 29). En état d'alerte, ils se recourbent et dressent leur dard. Leur piqûre entraîne une vive douleur, une enflure. Chez les jeunes enfants, le venin de scorpion a des effets aussi graves que celui des vipères. Dans ce cas, appelez le médecin : il apportera du sérum anti-scorpionique. En l'attendant, désinfectez la blessure, posez dessus un sac de glace qui retardera la diffusion du venin.

Les fourmis. Leur piqûre fait mal mais ne présente pas de grand danger. Désinfectez la plaie, appliquez une pommade calmante.
Ne provoquez pas les insectes piqueurs. Le champ où s'alignent les ruches n'est pas un terrain de jeu. At-

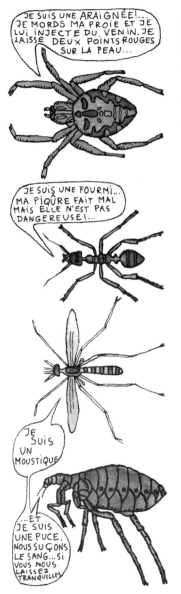

Dans les bulles de la bande dessinée :

JE SUIS UNE ARAIGNÉE!... JE MORDS MA PROIE ET JE LUI INJECTE DU VENIN. JE LAISSE DEUX POINTS ROUGES SUR LA PEAU...

JE SUIS UNE FOURMI... MA PIQÛRE FAIT MAL MAIS ELLE N'EST PAS DANGEREUSE!...

JE SUIS UN MOUSTIQUE

...ET JE SUIS UNE PUCE. NOUS SUÇONS LE SANG... SI VOUS NOUS LAISSEZ TRANQUILLES

tention aux trous dans le sol : ils peuvent abriter un nid de guêpes.

Les frelons préfèrent les branches d'arbres ou les toitures. Si vous découvrez leur nid, ne vous approchez pas et prévenez quelqu'un capable de les détruire.

Ne tentez pas d'éloigner ces insectes par des mouvements brusques.

En voiture, demandez au chauffeur de s'arrêter et ouvrez les vitres.

Les scorpions se cachent sous les pierres : évitez les éboulis et les murs de pierres sèches. Dans les maisons, comme les araignées, ils aiment l'humidité des salles de bains et des caves.

Les suceurs de sang.
Moustiques, taons et puces vous piqueront surtout si vous les laissez tranquilles ! Ils n'ont pas de venin mais leur passage laisse un souvenir douloureux. Désinfectez la zone piquée et calmez la douleur avec une goutte d'ammoniaque ou de la pommade.

Enfin, attention aux tiques : elles s'incrustent sur les chiens et peuvent vous transmettre une maladie grave si vous les délogez sans précaution.

Utilisez pour les extirper un coton imbibé d'alcool à 90°.

NOUS SOMMES DES MÉDUSES... LAISSEZ-VOUS FRÔLER PAR NOUS... ET VOUS AUREZ DE TRÈS BEAUX BOUTONS SUR VOTRE PEAU

HABITANTS DES MERS

Attention, ils sont méchants !
Ne croyez pas que tous les poissons soient inoffensifs. Quelques-uns sont venimeux, ils piquent ou mordent leur ennemi ; d'autres l'électrocutent.
Vous rencontrerez souvent au bord de la mer l'un des poissons piqueurs suivants :
L'astronome ou rascasse blonde vit en Méditerranée.
Le chinchard ressemble au maquereau et vit en Méditerranée, dans le golfe de Gascogne ou en mer du Nord.

Le chabot, diable, cotte ou scorpion de mer vit aussi en eau douce.

Le dragonnet multicolore ou capousi est un habitant de bancs de sable en eau peu profonde.

La rascasse, hérissée de piquants, se rencontre en Méditerranée.

La vive peuple toutes les côtes européennes.
Quand l'un de ces poissons vous pique :
– vérifiez que les épines venimeuses ne sont pas restées dans la plaie ;

— désinfectez soigneusement.

Seules la rascasse et la vive vous rendent vraiment malade ; dans ce cas, consultez un médecin.

La raie. Ceux qui font de la pêche sous-marine se trouveront peut-être nez à nez avec une raie. Mieux vaut ne pas l'approcher. Sa queue se termine par des aiguillons porteurs d'un venin puissant.

Si vous lui marchez dessus, ou si elle vous blesse en se débattant, la douleur sera très vive et vous enflerez rapidement. En attendant les soins du médecin, baignez la plaie avec de l'eau salée froide.

La murène se cache dans les trous de rocher pour guetter sa proie. Elle n'hésitera pas à vous attaquer et à vous mordre profondément, avec ses crocs venimeux. En cas de morsure, essayez d'arrêter l'hémorragie (voir Plaies p. 70) et faites appel d'urgence à un médecin.

Evitez également les poissons électriques.
Le plus connu est la torpille. Elle abonde dans le bassin d'Arcachon. Sa décharge électrique égale 220 volts. Celui qui la touche doit être soigné comme un électrocuté (voir Asphyxie p. 57).

Méduse & Co. Ne vous laissez pas frôler par les physalies ou les méduses qui flottent entre deux eaux et ne cueillez pas les anémones de mer. Leur contact vous donne des boutons et vous risquez même de vous évanouir.
Leurs piqûres se désinfectent à l'alcool à 90° et on les soigne en les frottant avec du sable sec.
Si vous marchez sur un oursin, il faut également désinfecter et éventuellement extraire le piquant.

LES SERPENTS

Piqûre contre morsure.
De tous les serpents euro-
péens, seule la vipère est
venimeuse.

NE SUCE PAS !?!
JE VOUS EMPOISONNE
TOUS LES DEUX !...
...MIEUX VAUT EM-
PLOYER UNE "AMPOULE
AUTO-INJECTABLE"!...

Rien ne sert de sucer ou
d'ouvrir la plaie avec un ca-
nif pour faire saigner. En
suçant, vous risquez d'être
empoisonné à votre tour
si vous avez la moindre
plaie à la bouche. L'inci-
sion, elle, expose aux dangers d'infection.
Un seul geste vraiment efficace : l'injection de sérum
antivenimeux.

AMPOULE
AUTO-INJECTABLE

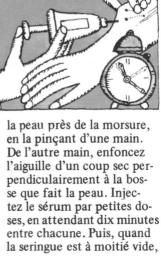

COMMENT FAIRE UNE INJECTION?... C'EST SIMPLE! D'ABORD DÉSINFECTEZ LA PLAIE!... (SI POSSIBLE)

...ENSUITE, SOULEVEZ LA PEAU PRÈS DE LA MORSURE ET ENFONCEZ L'AIGUILLE PERPENDICULAIREMENT À LA BOSSE QUE FAIT LA PEAU.

INJECTEZ LE SÉRUM, PAR PETITES DOSES, EN ATTENDANT DIX MINUTES ENTRE CHACUNE. SUCCÈS!...

Vous pouvez, si vous avez emporté du sérum, faire la piqûre vous-même, c'est d'autant plus facile que le sérum se trouve prêt dans une ampoule auto-injectable (dessin).

L'injection est sous-cutanée : après avoir désinfecté la plaie (si possible), soulevez la peau près de la morsure, en la pinçant d'une main. De l'autre main, enfoncez l'aiguille d'un coup sec perpendiculairement à la bosse que fait la peau. Injectez le sérum par petites doses, en attendant dix minutes entre chacune. Puis, quand la seringue est à moitié vide,

37

retirez-la d'un coup sec sans toucher au piston et replantez-la toujours de la même manière, dans une autre partie du corps, pour injecter le reste du liquide. Si l'accident survient en promenade, couchez la victime en position de sécurité et transportez-la vers la maison la plus proche d'où vous préviendrez un médecin. En l'attendant, surtout si vous n'avez pu injecter du sérum rassurez la personne, donnez-lui du thé ou du café très fort, désinfectez la morsure et appliquez de la glace dessus pour retarder la diffusion du venin. Vous pouvez aussi faire un garrot peu serré entre le cœur et la plaie (voir Plaies p. 71).

Tous les autres serpents se défendent en mordant. Leur morsure n'est pas dangereuse en elle-même mais risque de s'infecter comme n'inporte quelle blessure. Soignez-la le plus vite possible.

Connaître les serpents

Ne poussez pas un hurlement de frayeur à la vue d'un orvet, mais en revanche n'essayez pas d'attraper une vipère par la queue ! Ne confondez pas non plus vipère et couleuvre : elles n'ont ni les mêmes yeux, ni la même allure.

La couleuvre : pupilles rondes, queue effilée, tête arrondie, peut mesurer jusqu'à 2 mètres.

La vipère : tête triangulaire pupilles verticales, queue courte, ne dépasse généralement pas 50 centimètres.

Il faut savoir que les serpents aiment la chaleur, les rocailles, les bruyères et les ajoncs. Ils se baignent dans les petits cours d'eau et les étangs. Parcourez donc ces lieux en regardant où vous mettez les pieds.

Si vous partez en promenade, dans un « coin à vipères », chaussez-vous de bottes, coupez une baguette pour battre les fourrés et faites du bruit : les serpents ne sont pas téméraires, ils préfèrent fuir, et n'attaquent que lorsqu'on les surprend. Emportez aussi du sérum antivenimeux, il y en a dans toutes les pharmacies.

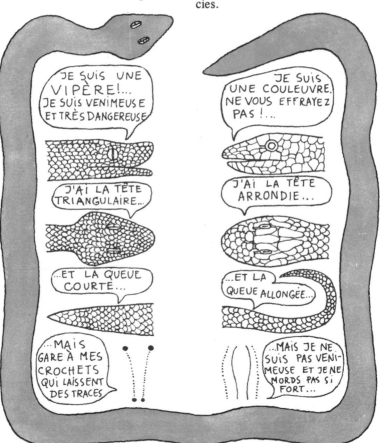

ANIMAUX NON VENI-MEUX

Mordus par un animal quel-
conque, ne négligez pas la
plaie même peu profonde.
Elle risque de s'infecter,
soignez-la comme toute autre blessure (voir Plaies p.70).
Un animal en bonne santé
peut vous transmettre le
Tétanos, car sa bouche n'est
pas à l'abri des microbes.
Le Tétanos est une maladie
très grave, qui se manifeste
par des contractions des
muscles. Il existe un sérum
antitétanique que le médecin vous injectera après
avoir examiné la morsure.
En principe, tout le monde
est vacciné contre le Té-
tanos. Mais l'immunité ne
dure que cinq ans.
Le Tétanos se transmet aussi par le fumier animal.
Les animaux sont quelque-
fois atteints de maladies
contagieuses qu'ils trans-
mettent aux hommes quand
ils les blessent : les morsu-

res de rat peuvent entraîner
la Spirochétose : en cas de
blessure superficielle, désinfectez, sinon, consultez le
médecin.
**Les morsures ou griffures de
chat** sont à l'origine de la maladie « des griffes de chat ».
Désinfectez soigneusement
car cette maladie est fré-
quente.
En vous mordant, **un perro-
quet** peut vous donner la
Psittacose : désinfectez la
plaie.

**Les morsures des animaux de
ferme**, en contact avec le fumier, entraînent un risque de

40

Tétanos. Les ânes et les chevaux peuvent aussi d'un coup de dent ou de sabot vous causer une hémorragie interne ou une fracture. Dans ce cas, appelez le médecin.

Les morsures de chien peuvent occasionner deux maladies graves : le Tétanos et la Rage. Mordus par un chien, désinfectez la plaie en la lavant au savon avant d'appliquer un autre antiseptique. Il existe un sérum antirabique que le médecin pourra vous faire.

Peu d'animaux sont méchants par nature : ils mordent celui qui les provoque. Sachez ne pas leur faire peur, ne les dérangez pas pendant leur repas, ne faites pas de gestes brusques et n'essayez pas par tous les moyens de toucher une bête qui n'en a pas envie. Certains animaux, même s'ils ne vous mordent pas, vous trans mettront leur maladie par simple contact.

Si vous avez touché un animal malade, prenez garde aux microbes : lavez-vous les mains à l'alcool à 90°.

41

Sauvés des eaux

Vous êtes dans le bain !
L'affolement provoque la plupart des accidents de baignade. Boire la tasse par exemple, n'a rien de grave en soi, mais celui qui perd son calme risque fort, par ses mouvements désordonnés, de suffoquer et de couler. Le seul moyen de reprendre sa respiration est de se reposer en faisant la planche. Se laisser flotter sur le dos permet également aux nageurs de lutter contre la fatigue ou contre les crampes qui contractent les muscles et entravent les mouvements. Si la crampe ne passe pas toute seule, étirez au maximum le membre atteint, puis massez-le pour détendre le muscle.

Bains forcés. Un trapèze mal accroché, et vous voilà éjecté du voilier. Un bateau déséquilibré par une vague, vous vous retrouvez dans l'eau. En refaisant surface, plutôt que de nager frénétiquement vers le rivage, signalez votre présence et attendez que l'on

vienne vous repêcher. Si vous êtes obligé de regagner la terre par vos propres moyens, nagez lentement et reposez-vous de temps en temps en faisant la planche, ou en vous accrochant aux objets flottants que vous rencontrerez.

En voiture aussi, on peut faire naufrage ! Il s'agit avant tout de quitter l'épave. Si la voiture flotte, les roues en bas, pas une seconde à perdre : ouvrez les vitres et sortez. Au contraire, si la voiture coule, fermez les fenêtres et allumez les feux pour donner un repère aux sauveteurs. N'ouvrez pas tout de suite les portières car l'eau exerce de l'extérieur une pression trop forte. Quand l'eau atteint votre cou, essayez alors de sortir par les portières ou par les fenêtres.

43

Avant d'ouvrir, remplissez vos poumons en inspirant profondément.

Un homme à la mer. « Au secours, au secours, voilà Monsieur le marquis de Carabas qui se noie.» Le Chat botté, qui ne savait pas nager, mais qui était malin, ne s'est pas jeté à l'eau, il a appelé à l'aide. C'est ce que vous devez faire en voyant quelqu'un en difficulté, si vous n'êtes pas entraîné au sauvetage.

En attendant les secours, selon vos possibilités, tendez une perche, lancez une bouée au naufragé, ou partez le repêcher en bateau.

Une fois la victime repêchée, déshabillez-la, séchez-la et allongez-la tête basse sur le côté, si elle n'est pas asphyxiée. Mais, si elle ne respire plus, ne perdez pas de temps et pratiquez immédiatement la respiration artificielle. Faites alerter les secours (pompiers, gendarmes).

Quand la victime est un petit enfant, prenez-le par les pieds et maintenez-le cinq secondes tête en bas avant de commencer le bouche-à-bouche.

En voilier, si votre équipier tombe à l'eau, abattez immédiatement pour revenir sur lui assez vite. Quel que soit le bateau, pour retirer quelqu'un de l'eau, ne vous mettez pas tous du même côté, vous risquez de chavirer.

En tout cas, restez calmes, et encouragez de la voix la personne en danger.

Réanimation : le bouche-à-bouche. Deux minutes sans respirer, telle est la limite de la résistance humaine. Si vous aidez un noyé à respirer, vous lui sauvez la vie. Pour cela, pratiquez la respiration artificielle, en soufflant l'air de vos poumons dans les poumons de l'autre. La méthode est simple :

1) Couchez la victime sur le dos, placez votre main gauche sous sa nuque et renversez-lui la tête en arrière en maintenant sa mâchoire de l'autre main.

2) Vérifiez avec le doigt que rien n'obstrue sa gorge.

3) En laissant sa tête bien en arrière, déplacez votre main gauche pour lui boucher le nez ; appliquez votre bouche autour de la sienne (si c'est un petit enfant, couvrez à la fois son nez et sa bouche) pour que tout l'air que vous soufflerez remplisse ses poumons.

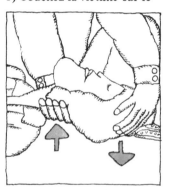

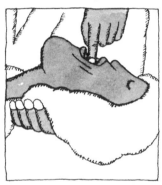

...ET JE RECOMMENCE À SOUFFLER TOUTES LES QUATRE SECONDES!

4) Soufflez. Si sa poitrine se soulève, la technique est correcte, sinon, renversez sa tête plus en arrière en soulevant la mâchoire.

5) Retirez votre bouche sans bouger les mains.

Attendez que la poitrine s'abaisse spontanément.

Recommencez à souffler toutes les quatre secondes jusqu'à ce que la victime respire toute seule, ou que les sauveteurs arrivent. Ne vous découragez pas, l'asphyxié peut donner signe de vie même après une demi-heure.

Comme un poisson dans l'eau.
La meilleure prévention des accidents du bord de l'eau, c'est d'apprendre vraiment à nager.

Connaître ses limites. A moins d'un accident imprévisible, les nageurs sont, en général, victimes de leur propre imprudence. Un principe essentiel : ne pas se prendre pour Tarzan.

Ne vous aventurez pas trop loin, vous échapperiez à la surveillance des maîtres nageurs. Ne partez pas seul, un compagnon peut vous servir en cas de malaise. Et surtout, n'oubliez pas qu'un sport ne se pratique jamais sans entraînement. La plongée sous-marine en particulier demande une bonne condition physique : la fatigue est encore plus dangereuse sous l'eau que dans l'eau. Sachez donc vous arrêter à temps...
Pensez également qu'un maté-

riel en bon état limite les risques d'accident.

Gare aux chauds et froids.
Après un bain de soleil prolongé, un repas trop copieux ou un effort violent, votre corps s'échauffe, et si vous plongez alors brutalement dans l'eau froide, la différence de température agira sur vous comme un choc électrique : c'est ce qu'on appelle l'hydrocution. Cette « électrocution par l'eau » est souvent annoncée par :

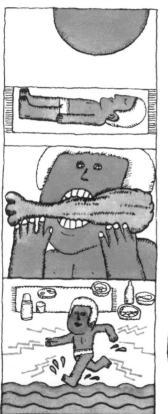

JE TE DIS QUE LE VERT EST "AUCUN DANGER" TANDIS QUE LE ROUGE NOUS "INTERDIT" LA BAIGNADE !!

D'ACCORD !... MAIS TU DOIS COMPRENDRE QUE L'ORANGE SIGNIFIE "BAIGNADE SURVEILLÉE" !...

— une sensation de malaise et de faiblesse ;
— des plaques rouges sur la peau ;
— des douleurs derrière les yeux, des troubles visuels et des bourdonnements d'oreille. Si vous ressentez l'un de ces symptômes, sortez immédiatement de l'eau ou demandez au nageur le plus proche de vous accompagner jusqu'au rivage.

Il ne faut pas confondre hydrocution et noyade : l'hydrocution est une syncope qui se produit aussi bien dans l'eau qu'au sortir du bain.

Pour éviter ce genre d'accident ne restez pas des heures au soleil et ne mangez pas trop avant de vous baigner.

Renseignez-vous. Ne bravez pas la mer déchaînée quand les drapeaux vous indiquent baignade dangereuse ; sachez donc reconnaître ces drapeaux. Lisez également les pancartes sur les plages non surveillées :

même l'eau calme peut dissimuler un tourbillon, des courants ou une lame de fond. Il serait également très dangereux de vous assommer en plongeant ou d'être entraîné par des courants : ne vous baignez donc pas n'importe où : tenez compte des marées au bord de mer comme à l'embouchure des rivières. Renseignez-vous sur les conditions de baignade auprès des organismes de tourisme locaux.

Mauvaises rencontres. Au-delà des zones réservées à la baignade, vous êtes à la merci des bateaux qui ne font plus attention à vous : si vous décidez de traverser un lac ou une baie, si vous faites de la pêche sous-marine surveillez les alentours.

Sur l'eau. Les matelas pneumatiques ne sont pas des lits flottants : si vous vous endormez dessus, vous vous réveillerez peut-être en haute mer. Ne vous en servez pas comme bouées : ils se retournent facilement et vous échappent. Jouer avec un matelas pneumatique est un plaisir réservé aux nageurs. Il en va de même pour les bateaux en caoutchouc. Autre plaisir, la voile. Même nécessité : avant tout savoir nager. Le gilet de sauve-

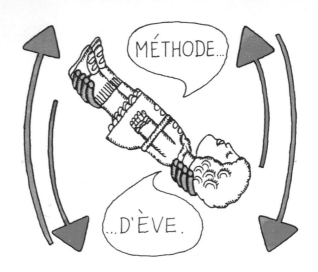

tage obligatoire vous aidera en cas de bain forcé mais ne vous propulsera pas jusqu'au rivage. Les règles de la voile ne se limitent pas au port obligatoire du gilet. Ne devenez pas des dangers publics : avant de prendre la barre, apprenez à naviguer, à connaître les vents et le code maritime.

Les tout-petits. Un jeune enfant qui tombe tête première dans vingt centimètres d'eau risque l'asphyxie. Par conséquent ne laissez pas les petits seuls près d'un plan d'eau ou même d'une bassine. Le mieux est de les familiariser avec l'eau sans les brusquer. Ils apprendront plus vite à nager.

N'oubliez pas de leur mettre une bouée quand ils barbotent au bord de l'eau. Pratiquez la respiration artificielle (voir méthode du bouche-à-bouche p. 45). Pour un petit enfant, pratiquez le bouche-à-nez en soufflant doucement, ou la « méthode d'Eve » : Placez une main sous la nuque de l'enfant et l'autre sous ses talons. Attachez ses bras le long du corps. Balancez-le de haut en bas et de bas en haut en faisant des mouvements suffisamment amples.

Asphyxie

Il y a asphyxie quand la respiration est fortement gênée ou arrêtée. Un homme qui respire normalement fait avec sa poitrine et ses poumons le mouvement du soufflet : quand il inspire, sa poitrine s'élargit et ses poumons se gonflent d'air : quand il expire, sa poitrine se resserre sur ses poumons et en chasse l'air.
A chaque inspiration, les poumons absorbent l'oxygène de l'air qui va passer dans le sang. A l'expiration, l'air ressort chargé du gaz carbonique rejeté par le sang.
Il y a quatre sortes d'asphyxie :
— l'air n'arrive plus aux poumons ;
— l'air qui arrive aux poumons ne contient pas assez d'oxygène ;
— l'air qui arrive aux poumons contient des produits toxiques ;
— l'air arrive aux poumons mais le cœur ne fonctionne pas.

Reconnaître l'asphyxie :
La poitrine et le ventre ne se soulèvent plus régulièrement. Pour vérifier, écoutez, en

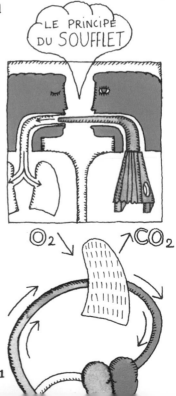

LE PRINCIPE DU SOUFFLET

O_2 CO_2

collant votre oreille au niveau des poumons. Si le blessé respire mal, ou pas du tout, il a besoin de la respiration artificielle.

Le second souffle
Rappelez-vous que la vie d'un asphyxié est une question de minutes. Ne perdez pas de temps, aidez-le à respirer au plus vite.
Faites prévenir les secours : en ville, les pompiers, à la campagne, la gendarmerie.
Dégagez l'asphyxié, en suivant les consignes propres à chaque type d'accident (voir page suivante).
Vérifiez si rien n'entrave l'entrée de l'air : desserrez les vêtements qui gênent le cou de la victime ; débarrassez sa gorge.
Installez l'accidenté sur le dos en glissant sous ses épaules un vêtement roulé pour rejeter sa tête en arrière.
Gaz toxiques.
Les appareils de chauffage à bois et à charbon, dont on a trop baissé le tirage en réduisant l'arrivée d'air déga-

52

FERMER LE COMPTEUR

gent un gaz toxique : l'oxyde de carbone.
Il est d'autant plus dangereux qu'il n'a pas d'odeur.
De même, dans les incen-
dies, de nombreuses victimes sont asphyxiées par
la fumée chargée de ce gaz.
Les gaz d'échappement des
moteurs contiennent eux
aussi le même produit as-
phyxiant. Il provoque des
accidents quand on fait
tourner un moteur long-
temps dans un local clos.
Le gaz de ville et les gaz
en bouteille (propane, butane, etc.) au contraire,
ont une odeur particulière
qui permet de les reconnaître et de détecter les fuites.
Si vous découvrez quel-
qu'un inanimé dans une

pièce chauffée par un poêle
ou un appareil à gaz :
Ressortez immédiatement
pour prendre votre res-
piration, car même s'il n'y a
pas d'odeur, la pièce contient sûrement un gaz as-
phyxiant.
Il faut avant tout préve-
nir les pompiers. Pour cela
n'utilisez pas le téléphone
qui est dans la pièce, car
toute étincelle peut dé-
clencher une explosion.
Pour les mêmes raisons, ne
vous éclairez pas avec une
flamme et ne tournez aucun
commutateur électrique, ni
pour allumer ni pour éteindre. Dès que vous avez dé-
gagé la victime, en attendant
les secours, pratiquez le
bouche-à-bouche.
En cas de fuite de gaz, n'oubliez pas de fermer le compteur ou la bouteille.

Ne vous asphyxiez pas.
Dans une pièce chauffée par
un poêle à bois ou à charbon, attention au manque
d'air : plutôt que de fermer
le tirage pour avoir moins
chaud, ouvrez la fenêtre.

Dormez toujours la fenêtre entrebâillée. Ainsi l'oxyde de carbone ne s'accumulera pas.

Dans tous les cas, si vous avez la tête lourde, aérez et vérifiez le tirage du poêle.

Ne restez pas dans un garage fermé, si le moteur d'une voiture tourne. Dans un parking souterrain, l'air est également toxique : n'attendez pas d'avoir mal à la tête pour sortir.

Surveillez cuisinières et appareils de chauffage au gaz : l'intoxication ne vient pas forcément d'une fuite dans un tuyau : un courant d'air peut éteindre la flamme de l'appareil et le gaz se répand dans la pièce. Ne laissez pas un appareil en veilleuse, il s'éteint plus facilement. N'oubliez pas non plus une casserole sur la cuisinière : elle risque de déborder.

A la moindre odeur suspecte, et le soir avant de vous coucher, fermez robinets et compteur. Si vous avez un radiateur à gaz dans votre chambre, dormez la fenêtre entrebâillée.

Le souffle coupé

Un bonbon avalé de travers, une arête dans la gorge, cela suffit pour couper la respiration. Il faut tout de suite extraire le corps étranger. S'il s'agit d'une arête ou d'un petit os planté dans le gosier, n'hésitez pas à mettre un doigt dans la bouche pour l'enlever.

Quelqu'un s'étouffe en ava-

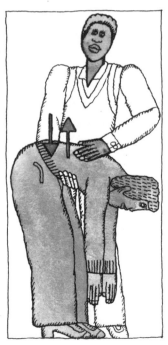

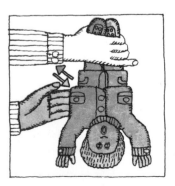

lant un bonbon trop gros : vous n'agirez pas de la même manière selon l'âge de la victime :
— Petit enfant : tenez-le par les pieds, la tête en bas ; assurez-vous que sa bouche est ouverte. Tapez-lui dans le dos, mais pas trop fort.
— Grand enfant ou adulte : faites-le mettre debout, le buste penché en avant, et tapez-lui dans le dos. Une autre solution : allongez-le à plat ventre, tête basse tournée sur le côté. Donnez quelques coups secs de la main entre ses omoplates. Appelez les secours en cas d'échec. Inutile de faire le bouche-à-bouche, l'air ne peut pas passer.
Pour éviter les accidents, ne laissez jamais un jeune enfant seul avec quelque chose qu'il puisse avaler.
N'oubliez pas qu'on peut aussi s'asphyxier dans un espace clos, sans aération : au bout d'un moment, il n'y a plus d'oxygène pour alimenter les poumons.

Il ne faut donc pas jouer à se déguiser en fantôme en s'enfermant la tête dans un sac en plastique. Ce n'est pas non plus une manière à faire à un animal : la réserve d'air du sac s'épuise vite, et si vous avez du mal à le détacher, il y a risque d'asphyxie.
Ne vous amusez pas non plus à vous cacher dans les placards ou à enfermer votre chat dans une valise.
En cas d'asphyxie par manque d'air, libérez la victime et faites-lui le bouche-à-bouche.
N'étranglez pas non plus votre chien en l'attachant à un piquet avec une ficelle autour du cou. En se débattant, il s'étouffera.
La même mésaventure vous guette si vous jouez au cheval avec une ficelle en guise de harnais.

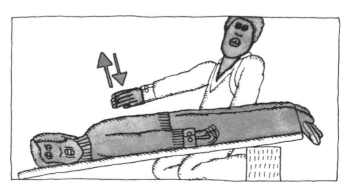

ELECTROCUTION

En passant à travers le corps, le courant électrique contracte tous les muscles. Les muscles respiratoires cessent de fonctionner, la respiration s'arrête.

Si quelqu'un s'électrocute sous vos yeux, ne subissez pas le même sort que lui en essayant de le dégager sans précaution.

D'abord, coupez le courant, si l'interrupteur est à côté, sinon ne perdez pas de temps à le chercher : dégagez vite la victime avec un bâton, une corde ou un linge sec. N'utilisez jamais d'objet métallique ou mouillé. Et n'oubliez pas de vous isoler de la terre en mettant les pieds sur un objet sec : planche, tapis, vêtements... Pendant ce temps, faites alerter les pompiers.

En attendant les secours, pratiquez la respiration artificielle par bouche-à-bouche (voir méthode du bouche-à-bouche p. 45).

Ne dégagez jamais la victime d'un courant de haute tension (câbles de pylône), vous seriez électrocutés à votre tour. Ne l'approchez même pas, un fil peut traîner par terre. Prévenez l'E.D.F.

Ne vous branchez pas.

Les oiseaux perchés sur les fils électriques sont épargnés par le courant : c'est parce qu'aucune partie de leur corps ne touche terre. Etant isolés, ils ne sont pas conducteurs d'électricité.

Vous qui êtes au sol, ne vous amusez pas à réparer une installation électrique et à remplacer une ampoule sans fermer l'interrupteur et sans couper le compteur. Car même isolé, si vous touchez deux fils à la fois, vous serez électrocuté par le court-circuit que vous avez provoqué.

N'utilisez jamais un appareil électrique quand vous prenez votre bain ou lorsque vous avez les mains ou les pieds mouillés.

RÉALISATION DU COURANT ÉLECTRIQUE

CIRCUIT ÉLECTRIQUE

INTERRUPTEUR

COURT-CIRCUIT

FUSIBLE

L'eau favorise le passage du courant.

Qu'est-ce que l'électricité ?
Le courant électrique est un flot de particules d'énergie appelées électrons. Ils se déplacent d'un pôle négatif à un pôle positif. Ces pôles + et − sont indiqués sur les piles électriques.
Le courant électrique ne peut circuler que si les deux pôles sont raccordés par un fil conducteur métallique : le circuit est fermé.
L'interrupteur ouvre et ferme le circuit.
Il y a court-circuit lorsque le courant prend un raccourci au lieu de suivre son trajet : deux fils dénudés qui se touchent dans une fiche, par exemple. Un fusible est un segment de métal (plomb) placé dans le circuit. Il fond lorsque le courant est trop fort. Quand vous branchez trop d'appareils à la fois, les électrons se bousculent et échauffent les fils. Les fusibles fondent avant que l'installation ne prenne feu.

Sur la route

...SI JE SUIS VITE PLACÉ, A 100 m. EN AVANT ET EN ARRIÈRE, J'ÉVITE UN NOUVEL ACCIDENT!...

UN ACCIDENT!?! JE NE M'AFFOLE PAS PEUT-ÊTRE PUIS-JE IN-TERVENIR... PEUT-ÊTRE LA VIE DES ACCIDEN-TÉS EST-ELLE ENTRE MES MAINS...

Stop ! Un accident. Un piéton ou un cycliste renversé, une collision entre deux voitures, cela arrive tous les jours. Devant ce spectacle, ne vous affolez pas mais dites-vous :
— qu'on a besoin de vous ;
— que vous êtes capables d'intervenir ;
— que peut-être la vie des accidentés est entre vos mains. Bien sûr, si quelqu'un de plus capable que vous (médecin, infirmier, secouriste) assiste à l'accident, laissez-le faire et obéissez-lui.

58

Précisez le lieu exact de l'accident, le nombre et la position des véhicules, le nombre des victimes.

3) En attendant les secours, la première chose à faire est d'examiner les blessés et, s'il s'agit d'un accident de voiture, d'empêcher l'incendie.

Premiers gestes

1) Il faut éviter un nouvel accident. Pour cela, dispersez l'attroupement ; prenez des triangles rouges de sécurité et courez les placer à 100 mètres en avant et en arrière du lieu de l'accident. Sinon, demandez à deux personnes de se poster de part et d'autre pour faire ralentir la circulation. De nuit, éclairez la zone dangereuse.

2) Faites alerter les secours : en ville, la police et les pompiers ; à la campagne, la gendarmerie.

Halte au feu. Coupez le contact des voitures accidentées. Eloignez les fumeurs qui peuvent mettre le feu à l'essence répandue sur le sol. Si les victimes sont coincées dans une voiture en feu, il faut les sortir au plus vite et essayer d'étouffer les flammes en jetant dessus du sable, de la terre, des manteaux (voir Au feu, p. 7).

Secours d'urgence. Regardez
— si le blessé saigne ;
— si le blessé s'asphyxie.
Dans ces deux cas, intervenez : stoppez l'hémorragie (voir Plaies, p. 70) ou pratiquez le bouche-à-bouche (voir méthode, p. 45).
Ne négligez jamais un blessé qui semble mort, livide et ne saignant pas, sans respiration ni battement de cœur perceptible. Il s'agit souvent de quelqu'un qui manque avant tout d'oxygène. Essayez le bouche-à-bouche. Si l'accidenté est prisonnier d'une voiture et si rien ne le menace, ne le sortez pas. Les secours organisés s'occuperont de lui. Soignez-le sur place si vous pouvez l'atteindre.

Le charger dans n'importe quel véhicule pour le transporter à l'hôpital mettrait sa vie en danger. En effet il peut avoir des fractures graves ou une hémorragie interne que vous ne pouvez voir. Si la victime se trouve sous une voiture (il s'agit presque toujours d'un piéton, ou d'un cycliste), il faut le dégager avec précaution. Il est imprudent de soulever la voiture à bras d'hommes même si vous êtes nombreux, elle pourrait retomber sur l'accidenté et aggraver ses

blessures. Il vaut mieux utiliser un cric.

Comment déplacer un blessé. En principe ce n'est pas à vous de le faire mais si l'accidenté se trouve dans un endroit dangereux (incendie, circulation intense), il faut l'en sortir.
1) Dégagez-le lentement, sans le plier. Son corps doit rester « tout en long » comme s'il formait un tout rigide.
Ne pliez jamais la tête sur le cou ;
– le cou sur la poitrine ;
– la poitrine sur le bassin. Car il a peut-être des fractures à la colonne vertébrale (voir Fractures p.75).
2) Déposez-le sur le sol. Pour le transporter dans un endroit sûr, quatre personnes sont nécessaires : la première saisit la tête, une main sous le menton, l'autre sous la nuque. Elle tire sur la tête ; la deuxième saisit les chevilles et tire en sens opposé pour que le dos reste bien droit. Les deux autres porteurs glissent leurs bras l'un sous les cuisses et les jambes, l'autre sous le tronc. Tout en maintenant le dos bien droit, les quatre porteurs soulèvent le blessé en bloc.

Comment installer le blessé. Si l'accidenté a perdu con-

61

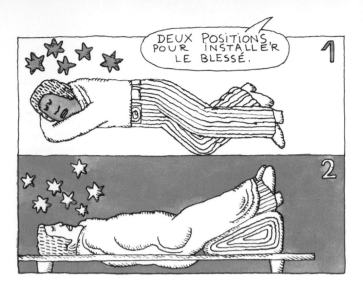

naissance : étendez-le sur
une couverture ou des vêtements ; ne le mettez jamais
sur le dos, il pourrait s'é-
touffer avec sa langue.
Couchez-le toujours sur le
côté ; pliez-lui la jambe qui
repose sur le sol pour qu'il
ne roule pas.
Ne le faites jamais boire, il
s'étoufferait.
Ne le déplacez plus.
Couvrez-le pour le réchauffer.
Si l'accidenté n'est pas éva-
noui : étendez-le sur le dos,
tête basse, les pieds suréle-
vés et couvrez-le.
Il a soif, mais ne lui donnez
pas à boire. Surtout pas
d'alcool, contrairement à
ce qu'on croit, il est dangereux pour les blessés. De
plus, après une analyse de
sang, on l'accuserait à tort

d'avoir conduit en état
d'ivresse.

Sur les routes de campa-
gne rien ne vous protège contre les voitures qui roulent
très vite. Redoublez de prudence et marchez toujours
sur le côté gauche de la route
de manière à voir ce qui arrive en face de vous. Cela
est très important, surtout
la nuit, car les voitures qui
arrivent derrière vous ne risquent pas de vous renverser
même si elles ne vous ont
pas aperçu à temps. La
nuit toujours, portez des
habits clairs et une lampe de
poche pour signaler votre
présence.
Quand vous traversez, ne
choisissez pas les virages et
regardez deux fois plutôt
qu'une avant de vous engager.

Sur deux roues, vous n'êtes pas les rois de la route : vous la partagez avec les piétons et les voitures. Les trottoirs ne sont pas des pistes cyclables qui vous permettent d'éviter les embouteillages : laissez-les aux piétons. N'encombrez pas *leurs* passages cloutés au feu rouge. Lorsque vous vous faufilez entre des voitures coincées dans un embouteillage, attention au piéton qui surgit inopinément.
Méfiez-vous aussi des voitures en stationnement : un coup de portière est vite arrivé, et certains automobilistes déboîtent en oubliant leur clignotant. Ne profitez pas de l'arrêt d'un autobus à sa station pour vous glisser entre lui et le trottoir,

vous receviez un passager sur votre guidon.

Les feux rouges sans flèche verte ne vous autorisent pas à tourner à droite en douce, sous prétexte que vous ne tenez pas de place. Attention à la chaussée, à ses embûches : trous, pavés, sol glissant. Ne roulez pas trop vite et ouvrez l'œil. Un coup de frein brutal et vous passez par-dessus bord. En cas de pluie, neige ou verglas, évitez de freiner, vous déraperiez.

L'acrobatie ne paie pas, ne lâchez pas votre guidon, ne déséquilibrez pas votre engin en le surchargeant ou en prenant un passager clandestin ; les réprimandes des agents de police sont justifiées : c'est vraiment dangereux.

L'état de choc. Il n'a rien à voir avec un choc nerveux provoqué par une émotion. Il fait suite à une hémorragie brutale. Le blessé en état de choc n'est pas toujours sans connaissance : il est faible, très pâle ; il se plaint d'avoir soif et froid ; il peut sembler ivre ; son cœur bat très vite, son pouls est difficile à trouver. En fait, il a perdu tellement de sang que son cœur n'arrive pas à le faire circuler jusqu'au cerveau.

L'état de choc s'aggrave avec la douleur, le froid, l'alcool.

Il faut d'abord :
— Essayer de stopper l'hémorragie (voir Plaies p. 70), et immobiliser les fractures qui causent la douleur (voir Fractures, p. 74).
— Ensuite, coucher le blessé, la tête plus basse que les pieds, pour que le sang ar-

LE PIÉTON A SON TROTTOIR! ...NE PAS MARCHER LE NEZ EN L'AIR!...

rive au cerveau.
—Enfin le tenir au chaud sous des couvertures en attendant les secours à qui vous le signalerez immédiatement, car il a besoin d'une transfusion de sang.

Gare à vous, gare aux autres !
La route est à tout le monde : aux piétons, aux cyclistes, autant qu'aux automobilistes... Mais souvent chacun se croit seul ou pense avoir

tous les droits ; c'est ainsi que la plupart des accidents arrivent.

Le piéton a son trottoir ; il y est en sécurité à condition de ne pas marcher les yeux fermés ou le nez en l'air, et de savoir lire les signaux qui lui annoncent des obstacles. Quand il quitte le trottoir, il entre dans le domaine des cyclistes et des automobilistes, alors attention ! Les pas-

plus vite : la voiture qui arrive vous évitera peut-être, mais en freinant, elle risque de causer un carambolage.

Votre sécurité dépend aussi de l'état de votre deux-roues. Vérifiez le fonctionnement de vos freins et de vos lumières.
En vélomoteur portez un casque : votre tête est fragile. Si vous roulez la nuit

VOUS N'ÊTES PAS LES ROIS DE LA ROUTE L'ACROBATIE NE PAIE PAS...

sages cloutés le protègent mais seulement s'il traverse à son tour, ou s'il regarde de chaque côté quand il n'y a pas de feux.
Si vous marchez à pied, ne vous amusez pas à zigzaguer entre les voitures, même arrêtées dans un embouteillage : le cycliste qui se faufile vous renversera. Ne traversez pas la rue en diagonale, ne coupez pas les places par le centre pour allez

hors de la ville, attachez une lumière de signalisation à votre bras gauche.

Passager d'une voiture, protégez-vous et ne gênez pas le conducteur.
Assis à l'avant, à la ville comme sur la route, bouclez votre ceinture de sécurité et ne prenez pas de petit enfant sur vos genoux.
N'utilisez pas le rétroviseur comme miroir en le déré-

glant.

En aucun cas, ne bouchez la visibilité sur les côtés comme à l'arrière : ne masquez pas les vitres pour vous protéger du soleil, ne prenez pas la place arrière pour un terrain de jeux.

Attendez d'être sorti de la voiture pour vous bagarrer avec vos voisins. Ne jouez pas non plus à attraper le vent en passant le bras par la fenêtre.

Les poignées des portières ne sont pas des jouets. Vérifiez leur fermeture. Quand vous descendez, sortez toujours du côté du trottoir : vous ne serez pas heurté par un engin en marche.

Dans tous les cas, il est indispensable de **connaître le code de la route.** Il est valable autant pour la sécurité des piétons que celle des véhicules. De plus vous ne serez pas dépaysés à l'étranger, les principaux signaux routiers sont les mêmes dans les différents pays.

VOTRE TÊTE EST FRAGILE...

PROTÉGEZ-VOUS EN VOITURE!

NE JOUEZ PAS À ATTRAPE-LE-VENT!

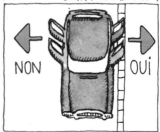

SORTEZ DU CÔTÉ DU TROTTOIR!

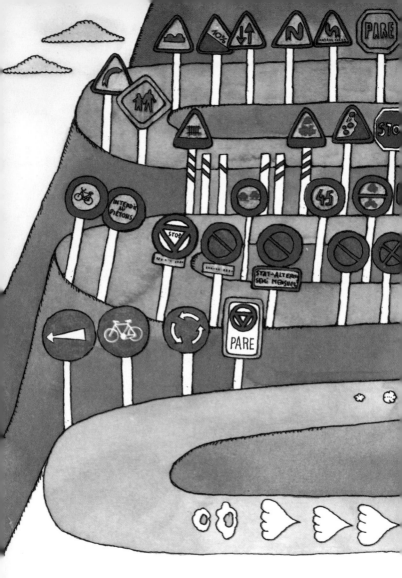

— triangles à fond beige bordés de rouge : signaux de danger et de prescription.

— panneaux circulaires ou octogonaux à liseré rouge : signaux de prescription absolue.

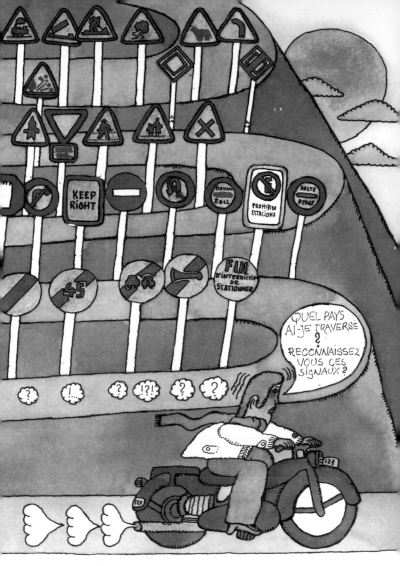

— panneaux circulaires à fond bleu : obligation.
— panneaux circulaires à fond beige et inscription bleue : fin de prescription absolue.

Et maintenant, apprenez à connaître la signification exacte des différents signaux.

Plaies, Fractures, Entorses

APPUYEZ FORTEMENT PENDANT DIX MINUTES

Toute blessure accompagnée d'une déchirure de la peau est une plaie.
Deux dangers menacent le blessé :
— l'hémorragie ;
— l'infection.

Stopper l'hémorragie.
Une blessure qui saigne abondamment signifie qu'un vaisseau sanguin (veine, artère) est rompu. Une grosse perte de sang entraîne un état de choc et parfois la mort.

Prévenez donc les pompiers ou la gendarmerie. Il n'y a pas de temps à perdre : en arrêtant cette « hémorragie » vous sauverez la vie du blessé.
— Posez sur la plaie un gros pansement, un mouchoir (ou votre poing si vous n'avez rien d'autre).
— Appuyez fortement pendant dix minutes.
— Fixez le pansement avec une bande ; serrez bien mais pas trop.

— Surélevez le membre atteint et maintenez-le immobile.
Si vous n'arrivez vraiment pas à arrêter l'hémorragie, il vous faudra poser un garrot. Ne le faites qu'en cas de nécessité absolue. Il favorise l'infection. Utilisez un mouchoir, une ceinture, un foulard. Pas de ficelle : elle est trop coupante.
Placez toujours le garrot entre le cœur et la plaie. Serrez-le mais jamais trop.
Surélevez le membre atteint.

70

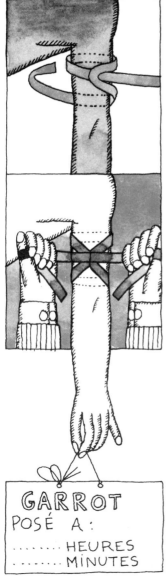

GARROT
POSÉ A :
.... HEURES
.... MINUTES

Le garrot posé, n'y touchez plus : seuls les médecins peuvent empêcher le choc dû à sa suppression.
Epinglez toujours sur les vêtements du blessé une étiquette indiquant l'heure exacte de la pose du garrot. Faites-le transporter en priorité vers l'hôpital.

Lutte contre l'infection. Les microbes profitent de la plaie pour pénétrer dans le corps. La blessure est un terrain privilégié pour leur développement. Leur nombre double toutes les vingt minutes ! Il faut les détruire d'urgence.
Pour désinfecter une plaie, on utilise un antiseptique comme l'alcool à 90° ou l'eau oxygénée. Si vous n'avez pas de désinfectant sous la main, couvrez la plaie d'un linge propre pour l'isoler de l'air.

Petites plaies. Coupures, piqûres, égratignures, même ces petits bobos attirent les microbes, il faut donc les protéger.
Rien ne vaut le savon de Marseille pour nettoyer la plaie. Commencez par le centre de la blessure et débordez largement sur la peau intacte. Si la plaie saigne, faites une compresse d'eau oxygénée. Avant de mettre un pansement, enlevez toutes les sa-

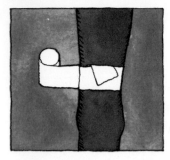

letés incrustées dans la chair
(terre, cailloux, brindilles)
et badigeonnez d'un antiseptique.
Le coton fait un très mauvais
pansement : ses fibres se col-
lent à la plaie. Mieux vaut utiliser une compresse de gaze
ou un pansement auto-
adhésif.

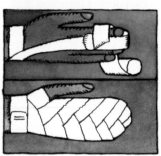

Plaie grave (profonde, lar-
ge, déchiquetée). Seul un
médecin la soignera bien.
Vous pouvez cependant limiter les dégâts en stoppant l'hémorragie s'il y a lieu et en
protégeant la plaie de l'infection avec un pansement.
Inutile de nettoyer ou de désinfecter, le plus important
est de faire conduire le blessé à l'hôpital.

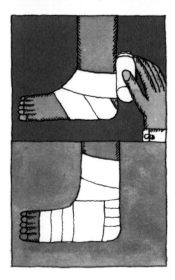

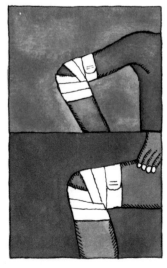

Attention Casse-cou !

Ne vous prenez pas pour des cascadeurs : tomber d'une échelle en porte-à-faux, grimper sur un arbre aux branches fragiles, sauter d'un mur trop haut, autant d'occasions de se casser un bras ou une jambe.

Si vous avez décidé de repeindre le plafond, n'oubliez pas le crochet de sécurité de l'escabeau, ou ne vous perchez pas sur un tabouret posé sur la table.

Pas de glissade : en promenade portez des chaussures montantes antidérapantes : Méfiez-vous des semelles de cuir sur le verglas ou dans un escalier ciré !

Attention aux plus petits, ils n'ont pas le sens du danger. Ne les laissez pas seuls sur une table ou près d'une fenêtre ouverte.

73

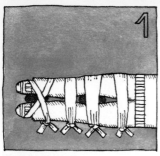

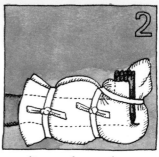

Cassé ou tordu.
Il y a fracture quand les os sont cassés : luxation quand les articulations sont déboîtées ; entorse quand les attaches du muscle (ou ligaments) à l'articulation sont tordues ou arrachées.

Os cassé
On reconnaît la fracture à trois signes : le membre ne fonctionne plus, il est déformé, il est douloureux. En attendant les secours que vous aurez alertés (médecin quand l'accident survient à la maison, pompiers ou gendarmes quand c'est à l'extérieur). Maniez la victime d'une fracture avec précaution : le moindre geste brusque provoquerait une douleur insupportable ou même un état de choc. Surtout

ne pliez pas le membre cassé, vous blesseriez les artères et les nerfs voisins.
Si vous devez déplacer l'accidenté, immobilisez provisoirement la fracture pour éviter qu'elle ne s'aggrave avant d'être plâtrée. Vous vous y prendrez de manière différente suivant l'endroit atteint. Les dessins vous montrent comment :
1) Jambe fracturée liée à la jambe valide par des mouchoirs ou des ceintures.
2) Jambe immobilisée dans un oreiller ficelé.
3) Fracture du pied soutenue par une couverture pliée.
4) Fracture du bras : écharpe improvisée avec le pullover.
5) Comment mettre un bras

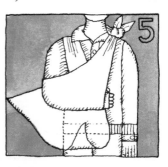

en écharpe à l'aide d'un foulard.
6) Immobilisation d'un bras qu'il ne faut pas plier (fracture du coude). Ne serrez pas trop les liens. Vous empêcheriez le sang de circuler.

Fracture ouverte : l'os cassé a déchiré la peau, il y a une plaie. Pansez la blessure avant d'immobiliser.

Fracture de la colonne vertébrale. Si l'accidenté, après un choc violent au dos, ne peut pas bouger les jambes ou les bras, il vaut mieux ne pas le toucher. Car tout déplacement risque de blesser la moelle épinière contenue dans les vertèbres et d'entraîner une paralysie.
En cas de déplacement obligatoire ne jamais le plier, ne jamais l'asseoir, le maintenir en position « tout en long ». (voir Sur la Route p. 61).

Membres déboîtés.
Le déboîtement d'un os hors de son articulation s'appelle luxation. Le membre démis a une position bizarre, il est très douloureux et incapable du moindre mouvement. N'essayez pas de le remettre en place. Avant de conduire le blessé à l'hôpital ou chez le médecin, immobilisez l'articulation dans la position où elle se trouve .
Un genou, une hanche ou une cheville luxée demande des soins urgents, car l'os déplacé peut écraser une artère ou des nerfs.

Entorses : l'articulation est gonflée, douloureuse mais fonctionne ; la peau devient bleue très vite.
Une entorse légère s'appelle foulure.
En attendant le médecin, appliquez des compresses ou baignez l'endroit douloureux dans de l'eau salée tiède pour calmer la douleur. Puis bandez l'articulation en serrant bien.
Pour faire un bandage, vous emploierez une bande toute prête ou vous en improviserez une dans du tissu. Commencez toujours par faire un tour un peu en biais, puis rabattez le bout pour le coincer entre le premier et le second tour. Bander la partie atteinte comme l'indiquent les dessins. Terminez par deux tours. Fixez avec une épingle de sûreté ou du sparadrap (dessins p. 71).

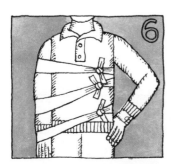

Transport des éclopés.

En cas d'accident dans un lieu isolé, si le blessé ne peut pas marcher, ne le transportez pas n'importe comment jusqu'à l'habitation la plus proche. Il n'est pas recommandé de transporter la victime d'une fracture pliée en quatre dans une brouette !

Pas besoin de brancard pour un genou ou une cheville foulée : si vous êtes deux, improvisez une chaise à porteur en croisant vos mains comme le dessin le montre.

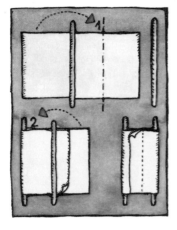

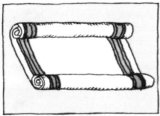

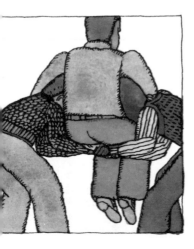

Un enfant léger se charge sur le dos.
En revanche, pour transporter une personne allongée ou inanimée, vous fabriquerez un brancard. Tous les moyens sont bons :
Une couverture tendue entre deux branches solides.
Deux vestes retournées et boutonnées, des bâtons passés dans les manches.
Une simple couverture roulée aux deux bords.
Une planche, un matelas pneumatique, etc.

Corps étrangers

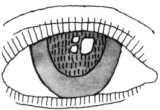

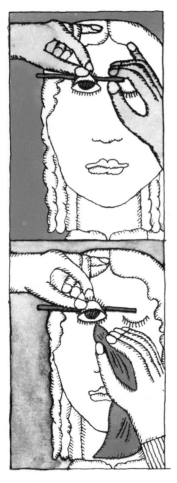

Poussière dans l'œil. Moucheron, poussière, escarbille, à condition d'être visibles sont faciles à enlever : utilisez le coin d'un mouchoir ou d'une compresse propre. Jamais un objet dur. Retournez la paupière à l'aide d'un bâtonnet (voir dessin). En cas d'échec, n'insistez pas : au lieu d'irriter l'œil mieux vaut aller chez un médecin.

Moucheron dans l'oreille. Vous viendrez à bout de ce petit insecte bruyant en le noyant dans une goutte d'huile. Il est imprudent d'essayer d'extraire vous-même tout autre corps étranger coincé dans l'oreille. Ne faites rien : surtout pas d'eau ! Laissez agir un médecin spécialiste.

Objets avalés. Si vous avalez un noyau de cerise, un

cerisier ne vous poussera pas dans le ventre ! Vous le digérerez normalement. Une arête est plus dangereuse. Surtout, n'essayez pas de vomir ; absorbez plutôt des poireaux, de la purée de pomme de terre ou de la mie de pain.

Echardes. Pour extraire une épine ou un piquant d'oursin, désinfectez vos instruments : déchirez la peau avec une aiguille flambée et retirez l'écharde à l'aide d'une pince à épiler flambée ou trempée dans l'alcool. Après l'opération, désinfectez la plaie.

Brûlures

PREMIER DEGRÉ: SIMPLE ROUGEUR
DOULOUREUSE DE LA PEAU
SECOND DEGRÉ: PRÉSENCE DE
CLOQUES REMPLIES D'UN LIQUIDE CLAIR
TROISIÈME DEGRÉ: DESTRUCTION
DE LA PEAU, DOULOUREUSE OU INSENSIBLE

Il y a différentes façons de se brûler : par le feu, la chaleur trop élevée, les produits chimiques.

Que vous touchiez un plat qui sort du four ou que vous restiez trop longtemps au soleil, votre peau réagit de la même manière : la chaleur l'attaque et parfois même la détruit. La gravité de la brûlure dépend à la fois de sa profondeur, de son étendue et de sa place : certaines parties du corps sont plus sensibles à l'infection : les mains, le visage, le sexe. On classe les brûlures selon leur profondeur.

— Premier degré : simple rougeur de la peau, douloureuse mais sans gravité.

— Second degré : présence de cloques remplies d'un liquide clair.

— Troisième degré : destruction de la peau, douloureuse si l'atteinte reste superficielle, insensible si la brûlure a touché l'extrémité des nerfs.

Même une brûlure au premier degré présente un danger : Le blessé risque davantage à la suite d'une brûlure superficielle qui couvre plus d'un tiers de son corps qu'avec une plaie profonde mais peu étendue.

Dans tous les cas, un principe : empêcher l'infection. Si la brûlure est grave, faites le strict minimum ; le médecin se chargera du traitement.

Petites brûlures,

1) Si la peau est seulement rouge, elle guérira seule. Il faut simplement calmer la douleur en plongeant tout de suite la partie atteinte dans l'eau froide ou en appliquant de la glace dessus. Un peu de talc complètera le traitement.

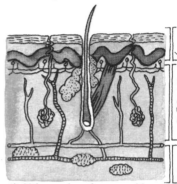

2) S'il y a des cloques : Ne les crevez pas.

Badigeonnez avec un antiseptique incolore la brûlure et la peau qui l'entoure. Jamais de mercurochrome ni de teinture d'iode : le médecin ne verrait plus l'état de la peau. Quand les cloques ont déjà éclaté, découpez la peau morte avec des ciseaux à bout rond désinfectés à l'alcool, avant d'appliquer l'antiseptique.

Pour protéger, faites un pansement avec une compresse stérile.

3) Si le brûlé a de la fièvre, appelez le médecin.

Brûlures graves.

Il est inutile et dangereux de les soigner vous-même : pas de pommade, pas de médicaments.

Vous avez quatre choses importantes à faire :

prévenir les pompiers ; atténuer le choc ; éviter l'infection ; calmer la douleur.

Eloigner les microbes.

N'enlevez pas les vêtements qui adhèrent à la brûlure : ils la protègent.

Desserrez ceintures, bretelles ou cravates qui entravent la circulation du sang et la respiration.

Ne mettez rien sur les brûlures pour les nettoyer ; couvrez-les simplement d'un linge propre et sec qui les isolera de l'air et des poussières.

Ne respirez pas au-dessus de la brûlure, vos microbes s'y précipiteraient.

Atténuer le choc : un brûlé est un grand blessé menacé par l'état de choc (voir Sur la Route, p. 64). Couchez le blessé la tête plus basse que les pieds et enveloppez-le de couvertures pour qu'il n'ait pas froid.

Soulager la douleur

Immobilisez la partie brûlée comme s'il s'agissait d'une fracture.

Rassurez le blessé et faites le calme autour de lui.

L'agitation ne peut qu'aggraver son état.

Brûlures chimiques.
Certains produits chimiques rongent la peau, et si vous ne combattez par leur action assez vite, ils attaqueront de plus en plus profondément.
D'abord, essuyez vite avec un chiffon ou du coton. Si les vêtements sont imbibés, retirez-les immédiatement. Lavez-vous à grande eau, si possible sous la douche, pendant dix minutes au moins.

Les acides : acide sulfurique (vitriol), acide chlorhydrique (fumant ou esprit-de-sel). Après avoir lavé la plaie abondamment, versez dessus un litre d'eau additionnée d'une cuillerée de bicarbonate ou de l'eau savonneuse. **Les bases** : soude (déboucheur et décapant), potasse, chaux vive, ammoniaque (alcali).
Après lavage, neutralisez le produit en rinçant à l'eau vinaigrée.

Dans l'œil.
Quel que soit le produit, précipitez-vous sous un robinet et lavez l'œil pendant un quart d'heure. Ensuite appliquez une compresse et faites-vous conduire à l'hôpital, où l'on terminera le traitement.

84

Les feux du soleil. Le soleil ne se contente pas de brûler la peau : il provoque aussi des coups de chaleur et des insolations. Contrairement aux coups de soleil qui sont de véritables brûlures (à soigner comme telles), coups de chaleur et insolation perturbent le corps tout entier. Atteint d'un coup de chaleur, vous aurez mal à la tête, le visage rouge, une soif terrible et de la fièvre. Votre peau n'est pas brûlée, mais votre corps manque d'eau. Un coup de chaleur peut s'attraper même à l'ombre si l'air est surchauffé.

Il faut :
— appeler un médecin ;
— allonger le malade au frais ;
— le déshabiller, rendre à son corps l'eau qu'il a perdu en l'enveloppant dans du linge humide et en lui donnant

à boire. Evitez les boissons trop froides.

Vous attraperez une insolation en restant trop longtemps la tête au soleil : elle se traduit par une douleur violente, dans la tête et dans la nuque, et parfois des vomissements et une perte de connaissance.

Il faut :
— appeler le médecin ;
— installer le malade au frais, en position de sécurité ;
— entourer sa tête de linges humides ;
— s'il a la force de boire lui donner de l'eau fraîche par petites quantités pour éviter les vomissements.

Ne risquez pas bêtement un coup de soleil ou une insolation en vous exposant trop longtemps à ses rayons.

A la plage comme à la montagne, ne méprisez pas les crèmes protectrices, elles vous éviteront bien des ennuis : brûlure, douleur et interdiction de retourner au soleil avant plusieurs jours.

Quand le soleil est très fort, portez un chapeau, il vous protégera aussi les yeux ; si vous êtes au bord de l'eau, trempez-vous souvent sans oublier de vous mouiller les cheveux. Vous échapperez ainsi aux coups de chaleur.

Les liquides bouillants maniès
sans précaution vous brûle-
ront profondément. Alors,
pas de gestes brusques autour
d'une casserole sur le feu ;
n'oubliez pas non plus de
tourner la queue des récipients vers le mur ; ainsi,
vous ne l'accrocherez pas au
passage. Les camping-gaz,
légers et instables, se renver-
sent facilement.
Posez-les sur un terrain
parfaitement plat, à l'abri

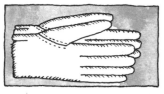

PRUDENCE!!

ATTENTION, ÇA BRÛLE!

du vent, et calez-les avec des pierres.

Avis aux enrhumés : l'inhalation est un bon moyen de déboucher le nez à condition de ne pas vous renverser le bol dessus en le posant de travers !

Le métal : Ne vérifiez pas la chaleur d'un fer à repasser avec vos doigts ; sans que vous le sachiez, il est peut-être déjà brûlant.

COUPS DE SOLEIL

Protégez vos mains avec des gants isolants avant de toucher n'importe quel objet chaud, en particulier avant de sortir un plat du four, de bricoler un moteur qui vient de tourner.

Les produits corrosifs : Quand vous vous en servez, enfilez des gants en caoutchouc, sinon, ils rongeront vos doigts. Pour les transvaser, prenez un entonnoir et versez lentement, vous ne serez pas éclaboussé. Ne laissez jamais traîner une boîte de soude, une bouteille d'ammoniaque, ne les posez pas en équilibre instable, rebouchez soigneusement les récipients et rangez-les hors de la portée des plus petits.

Malaises

Ne vous affolez pas en voyant quelqu'un se rouler par terre ou s'évanouir devant vous. Les signes les plus impressionnants ne sont pas toujours les plus graves.

La crise de nerfs.
Après une émotion violente, si quelqu'un perd le contrôle de lui-même, se jette par terre, crie, pleure et gesticule de manière désordonnée, commencez par faire le vide autour de lui ; il a besoin avant tout de calme et de silence.

Aspergez-le d'eau froide et giflez-le sans violence pour mettre fin à son agitation.

La crise de tétanie. Elle est très spectaculaire mais elle n'a rien à voir avec le tétanos. Elle ne dure que quelques instants. Le malade a les membres raides, les pieds et les mains crispés ; il suffoque et devient bleu parce que sa gorge se contracte.
Il faut :
— rester calme : ce n'est pas grave ;
— allonger le malade et le rassurer ;
— appeler un médecin qui lui fera une piqûre de calcium ;
— en attendant l'arrivée du médecin, asperger son visage d'eau froide pour ralentir les contractions.

La crise d'épilepsie.
Le malade pousse un cri et tombe. Il se raidit puis il est pris de convulsions. Il

gesticule, ses yeux roulent, il bave et grimace.

La crise ne dure pas plus de deux minutes et se calme progressivement pour aboutir à une perte de connaissance. Surtout, pas de panique : Ne cherchez pas à arrêter la crise. Veillez plutôt à ce que le malade ne se blesse pas quand il tombe. Ouvrez-lui la bouche, et, pour l'empêcher de mordre sa langue, placez un objet entre ses dents en faisant attention qu'il ne l'avale pas.

Desserrez ses vêtements et attendez la fin de la crise.

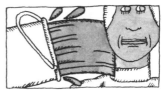

ATTENTION QUAND IL TOMBE!... QU'IL NE SE BLESSE PAS!...

SUCRE

L'évanouissement. Il faut bien distinguer le malaise qui survient à la suite d'une émotion(il n'y a ni perte de la respiration, ni arrêt cardiaque et il se traite comme la crise de nerfs). **Le vertige** dû à la fatigue ou à la faim que l'on soigne avec un morceau de sucre et **la perte de**

connaissance à la suite d'un accident (choc, hémorragie, fracture). Dans ce dernier cas, placez la victime en position de sécurité pour éviter l'asphyxie et appelez les pompiers ou les gendarmes.

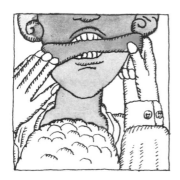

ALLÔ!... LES POMPIERS?... ALLÔ!... LES GENDARMES?...

Engins de guerre

Dans les bois, dans les champs, sur la plage, dans un grenier, une remise ou une cave, il reste des engins explosifs oubliés depuis la dernière guerre. Grenades, mines sous-marines, bombes, obus échouent sur le rivage ou reviennent à la surface du sol.

Ils semblent inoffensifs, or, ils peuvent encore tuer. Même si vous brûlez d'envie de les voir de plus près et de savoir ce qu'ils contiennent, n'y touchez pas : ne frappez pas dessus, n'essayez pas de les ouvrir, ne les mettez pas dans le feu. Prévenez tout de suite :
— à la campagne, la mairie ou la gendarmerie ;
— en ville, la police.
Marquez l'emplacement de l'engin par un repère. N'attendez pas pour donner l'alarme. Ne touchez pas non plus aux bâtons de dynamite entreposés dans les carrières.

La trousse de secours

Avez-vous une trousse de secours ?
Contient-elle tout ce qu'il faut ? Cochez dans la liste suivante ce que vous possédez.

A. Pour arrêter le sang (si ce n'est pas une section d'artère ou de veine) : coussin « hémostatique » tout prêt. Eau oxygénée.

B. Pour désinfecter
Antiseptique incolore. Flacon d'alcool à 90°.

C. Pour les pansements
Coton hydrophile, compresses de gaze et sparadrap. Pansements adhésifs tout prêts. Bande de crêpe.

D. Instruments
Ciseaux à bouts ronds.
Pince à écharde.
Epingles de sûreté.

SOLUTION PAGE 94.

Produits conseillés mais non obligatoires :
Ampoule auto-injectable de sérum anti venimeux (à conserver au réfrigérateur, entre les promenades). Pommade calmante (piqûres d'insectes).
Pommade « anti-ecchymotique » (pour prévenir les « bleus »).
Aspirine.
Elixir parégorique (liquide ou comprimés).
Alcool de menthe (petits malaises).
Sucres.
Un livre de secourisme.

Produits déconseillés
Ether (mauvais antiseptique, inflammable et explosif).
Teinture d'iode }
Mercurochrome } (colorés)
Garrot en caoutchouc (réservé aux spécialistes).
Maintenant, vous connaissez les gestes qui sauvent, vous ne risquez pas d'aggraver l'état d'un blessé par votre ignorance. Votre trousse de secours est complète. Mais si vous voulez vous rendre encore plus utile en cas d'accident, prenez des cours de secourisme. Il suffit de quinze cours pour faire de vous un bon secouriste. (Voir adresses p. 95.)

A ne pas oublier !

1. Appelez ou faites appeler les secours :
— en ville, les pompiers ;
— à la campagne, la gendarmerie.
2. Ne perdez pas une minute pour agir s'il y a
— hémorragie,
— asphyxie.
Vérifiez toujours que l'accidenté ne saigne pas et respire.
Pratiquez la méthode du bouche-à-bouche pour la respiration artificielle.
Arrêtez l'hémorragie par compression.
3. Etendez le blessé :
— sur le dos s'il a connaissance,
— sur le côté, en position de sécurité, s'il est sans connaissance,
— la tête basse s'il a perdu beaucoup de sang. Couvrez toujours un blessé pour qu'il n'ait pas froid.

Surtout :
Ne donnez jamais à boire à un accidenté.

Ne dégagez jamais un électrocuté sans vous isoler.
Ne touchez pas à la victime d'un courant à haute tension.
Ne faites pas le bouche-à-bouche à quelqu'un qui a les voies respiratoires bouchées.
Evitez de déplacer un accidenté de la route s'il n'est menacé par aucun danger.
Si le transport est nécessaire, ne pliez pas le corps du blessé. N'étendez jamais sur le dos un blessé sans connaissance.
Ne pliez jamais un membre cassé.
En cas d'hémorragie, la pose d'un garrot est la dernière chose à faire.
Ne touchez pas à une brûlure grave.
Ne faites pas vomir quelqu'un qui a avalé un objet pointu.

Ayez toujours sur vous :
— une carte d'identité, au cas où vous seriez victime

d'un accident ;
— les numéros de téléphone à former en cas d'urgence. Complétez le tableau ci-dessous :
médecin habituel :
Pompiers :
Police-secours :
Gendarmerie ou Commissariat de Police :

Hôpital le plus proche :

Taxis :
Personne à prévenir :

CENTRE EQUIPES SPECIALEMENT POUR LE TRAITEMENT DES BRULES.

Bouches-du-Rhône (13) :
Marseille : Hôpital-Nord.
Tél. (91) 50.69.00
Rognac : Clinique de l'étang de Berre. Tél. (91) 09.50.86.

Gironde (33) :
Bordeaux : Hôpital Pellegrin.
Tél. (56) 44.84.85.

Hauts-de-Seine (92) :
Clamart : Centre National interarmes des brûlés. Hôpital Percy (civils admis en urgence). Tél. 645.15.15.
Suresnes : Centre médico-chirurgical Foch. Tél. 506. 18.00 et 772.07.33.

Loire-Atlantique (44) :
Nantes : C.H.U. Hôtel-Dieu
Tél. (40) 73.42.59 ;

Centre de brûlés, Hôpital Saint-Jacques. Tél. (40) 75.69.45, poste 396.

Moselle (57) :
Freyming : Centre Jean-Moussier.
Tél. (87) 04.13.31
Metz : Centre des grands brûlés. Hôpital Bonsecours.
Tél. (87) 68.37.86.

Nord (59) :
Haumont : Hôpital-hospice
Tél. (20) 64.10.47.
Lille : Centre des brûlés.
Tél. (20) 57.34.02.

Rhône (69) :
Lyon : Centre des brûlés. Hôpital Edouard-Herriot.
Tél. (78) 84.74.11.
Centre des brûlés. Hôpital Saint-Luc. Tél. (78) 72. 14.03.

Seine (75) : **Paris**
Hôpital Cochin. Tél. 553. 26.30.
Hôpital Saint-Antoine. Tél. 344.33.33.
Hôpital Trousseau. Tél 343. 96.71 (centre de brûlés pour Enfants).

Val de Marne (94)
Villejuif : Centre hospitalier Paul-Brousse. Tél. 726.07.67.

LES CENTRES ANTI-POISONS

Angers : Pavillon Saint-Roche
C.H.U. Tél. 15 (41) 88.13.44

Bruxelles : Tél. 47.99.82

Clermont-Ferrand : Hôpital Saint-Jacques, 2, boulevard Churchill.
Tél. 15 (73) 91.96.96.

Lille : Hôpital Calmette, boulevard du Professeur J. Leclerc.
Tél. 16 (20) 54.55.56.

Lyon : Hôpital Edouard-Herriot, place d'Arsonval, 69 - Lyon 3e.
Tél. 15 (78) 60.99.50.

Marseille ; Hôpital Salvator, 249, boulevard Sainte-Marguerite, 13- Marseille (9e).
Tél. 15 (91) 75.25.25.

Montpellier : Département d'anesthésie et de réanimation. Clinique Saint-Eloi, av. Bertin.
Tél. 16 (67) 72.00.00.

Nancy : Hôpital Central, avenue de Strasbourg.
Tél. 15 (28) 52.92.10.

Seine (75) : Paris
Hôpital Cochin.
Tél. 533.26.30.
Hôpital Saint-Antoine.
Tél. 344.33.33.

Paris : Hôpital Fernand-Widal, 200, rue du Faubourg Saint-Denis, 75010 Paris.
Tél. 205.63.29, poste 411.

Val de Marne (94)
Villejuif : Centre hospitalier Paul-Brousse.
Tél. 726.07.67.

Rennes : Hôpital Pontchaillou, 51, boulevard de Verdun. Tél. 16 (99) 30.03.00.

Strasbourg : Pavillon Pasteur. Service de Réanimation. Hospices civils, 1, place de l'Hôpital. Tél. 16 (88) 36.71.11, poste 30.30.

Toulouse : Hôpital Purpan, avenue de Grande-Bretagne.
Tél. 15 (61) 42.33.33.

Tours : Institut de Médecine Agricole, faculté, boulevard Tonnelé.
Tél. 15 (47) 53.79.29.

SOLUTIONS DE LA PAGE : 91.

A. L'un ou l'autre suffit.
B. L'un ou l'autre suffit.
C. Il faut avoir au moins trois de ces accessoires.
D. Tous ces instruments sont indispensables.

Devenir Secouriste

Vous savez maintenant comment être utiles en cas d'accident et comment éviter « le geste qui tue ». Cependant, si vous voulez être encore plus efficace, ne vous contentez pas des conseils d'un livre.
Vous pouvez devenir secouriste quel que soit votre âge.
Adressez-vous au chef de corps des sapeurs-pompiers de votre localité ou écrivez à l'un des organismes suivants :

FEDERATION NATIONALE DES SAPEURS-POMPIERS FRANÇAIS :
27, rue de Dunkerque, 75010 Paris.

CROIX-ROUGE FRANÇAISE, 17, rue Quentin-Bauchart, 75008 Paris.

FEDERATION NATIONALE DE PROTECTION CIVILE, 18, rue Ernest-Cognacq, 92300 Levallois-Perret.

FEDERATION NATIONALE DE SAUVETAGE : 28, rue de l'Yvette, 75016 Paris.

SOCIETE NATIONALE DE SAUVETAGE EN MER : 1, rue Aristide-Briand, 75007 Paris.

SECOURISTES FRANÇAIS (Croix-Blanche) : 64, avenue de Vallauris, 06400 Cannes.

UNION NATIONALE DES SECOURISTES ET SAUVETEURS DES P. et T., 57, rue des Archives, 75004 Paris.

SECOURS ROUTIER FRANÇAIS : 1, rue Méhul, 75002 Paris.

KINKAJOU

Dans chaque circonstance, vous savez ce qu'il faut faire, vous avez du sang-froid et de l'audace, lancez-vous sur la route avec **"MOTOS : MÉCANIQUE, PRATIQUE ET ÉVASION"**
(Kinkajou N° 13)

**demandez-les
à votre libraire**

Numéro d'édition : 19794
Dépôt légal : 2ᵉ trimestre 1975 N° 7896
IMPRIMÉ EN FRANCE
TARDY QUERCY AUVERGNE, BOURGES